GENOVEVA SASTRE • MONTSERRAT MORENO

RESOLUÇÃO DE CONFLITOS E APRENDIZAGEM EMOCIONAL

GÊNERO E TRANSVERSALIDADE

Tradução: *Ana Venite Fuzatto*

Revisão técnica: *Valéria Amorim Arantes*

Coordenação: *Ulisses F. Araújo*

Moderna

Moderna

COORDENAÇÃO EDITORIAL José Carlos de Castro
PREPARAÇÃO DE TEXTO Duna Dueto Editora Ltda.
COORDENAÇÃO DE PRODUÇÃO GRÁFICA Fernando Dalto Degan
COORDENAÇÃO DE REVISÃO Estevam Vieira Lédo Jr.
REVISÃO Equipe Moderna
COORDENAÇÃO DE ARTE André Monteiro
PROJETO GRÁFICO Ana Maria Onofri
CAPA João Baptista Costa Aguiar
Foto: CID (fornecida pelo Centro de Informação e Documentação da Editora Moderna)
DIAGRAMAÇÃO Elizabeth Kamazuka Santos
SAÍDA DE FILMES Helio P. de Souza Filho, Marcio H. Kamoto
COORDENAÇÃO DE PRODUÇÃO INDUSTRIAL Wilson Aparecido Troque

IMPRESSÃO E ACABAMENTO Bartira Gráfica e Editora Ltda.

Dados Internacionais de Catalogação na Publicação (CIP)
(Câmara Brasileira do Livro, SP, Brasil)

Sastre Vilarrasa, Genoveva
Resolução de conflitos e aprendizagem : gênero e transversalidade / Genoveva Sastre Vilarrasa, Montserrat Moreno Marimón ; [tradução Ana Venite Fuzato]. — São Paulo : Moderna, 2002. — (Educação em pauta)

Título original : Resolución de conflictos y aprendizaje emocional : una perspectiva de género.
Bibliografia.

1. Administração de conflitos 2. Educação – Finalidades e objetivos 3. Ética 4. Inteligência emocional em crianças 5. Pedagogia 6. Psicologia da aprendizagem I. Moreno Marimón, Montserrat. II. Título. III. Série.

02-5682 CDD-370.15

Índices para catálogo sistemático:
1. Aprendizagem emocional e resolução de conflitos : Psicologia educacional 370.15
2. Resoluções de conflitos e aprendizagem emocional : Psicologia educacional 370.15

ISBN 85-16-03474-7

EDITORA MODERNA LTDA.
Rua Padre Adelino, 758 - Belenzinho
São Paulo - SP - Brasil - CEP 03303-904
Vendas e Atendimento: Tel. (0_ _11) 6090-1500
Fax (0_ _11) 6090-1501
www.moderna.com.br
2002

Impresso no Brasil

1 3 5 7 9 10 8 6 4 2

Sumário

PREFÁCIO

*Valéria Amorim Arantes**

QUESTIONAR a crença cultural, construída durante séculos, de que a razão e as emoções constituem dois aspectos diferentes na natureza humana é, ao mesmo tempo, ponto de partida para as reflexões apresentadas neste livro, e referência para os encaminhamentos educacionais que as autoras propõem ao tratar de uma temática relevante para a educação e para a vida cotidiana das pessoas: a resolução de conflitos.

Nesse sentido, esta é uma obra inovadora e ambiciosa, que busca temáticas geralmente abordadas de forma dissociada em publicações e pesquisas. Ora encontramos estudos sobre a razão, ora sobre as emoções, ou mesmo sobre resolução de conflitos. Encontramos, até mesmo, alguns textos que relacionam razão e emoção, ou razão e resolução de conflitos. Não encontramos, porém, trabalhos que mostrem como a perspectiva de indissociação entre razão e emoção no funcionamento psíquico humano pode contribuir para a construção da cidadania e de pessoas eticamente competentes na resolução dos conflitos cotidianos.

* Psicóloga, doutora em Psicologia pela Universidade de Barcelona e professora da Faculdade de Educação da Universidade de São Paulo.

Para as autoras, um processo educativo desta natureza pode levar alunos e alunas a construírem uma qualidade de vida, pessoal e social, baseada em uma organização mental que equilibre os aspectos intelectuais e emocionais empregados na resolução de conflitos. Pode ajudar-lhes: no desenvolvimento de sua personalidade, tornando-lhes conscientes de suas ações e de suas consequências; a conhecer melhor a si mesmos(as) e às demais pessoas; a fomentar a cooperação, a autoconfiança e a confiança em suas companheiras e seus companheiros, com base no conhecimento da forma de agir de cada pessoa; e a beneficiar-se das conseqüências que estes conhecimentos lhes proporcionam.

Desta maneira, com o rigor científico que as caracterizam, Genoveva Sastre e Montserrat Moreno apresentam-nos, fundamentadas em suas investigações acerca da resolução de conflitos e das relações entre os processos cognitivos e afetivos, uma proposta de trabalho educacional que concede um lugar relevante às emoções. Na perspectiva das autoras, o compromisso com a construção da verdadeira cidadania solicita uma prática que contemple e integre os saberes racionais e emocionais. Defendem o princípio de que as emoções e os sentimentos humanos devem ser trabalhados como um conteúdo escolar, da mesma forma que a escola contempla a Matemática, a Geografia, a História, a Língua etc.

Suas críticas sobre as escolas enfocam o privilégio que dão ao ensino das áreas de conhecimento tradicionais, cujas origens encontram-se na sociedade grega clássica, e que são voltadas para o atendimento dos interesses de uma pequena parcela da sociedade, de um modelo fragmentado de ciência, distanciado das temáticas da vida cotidiana da maioria da população. Para elas, esta escola, e modelo de ciência, preocupa-se principalmente com o desenvolvimento racional da inteligência humana, com o objetivo de produzir tecnologias que beneficiam uma pequena elite. Na sua visão, não se nega a importância das disciplinas tradicionais do currículo, mas compreende-se que elas não devem ser encaradas como "fim" em si mesmas, mas como "meio" para se construir a verdadeira cidadania.

Trabalhar os sentimentos e as emoções no ensino fundamental e médio, por meio da resolução de conflitos que solicitem a integração dos aspectos afetivos e cognitivos do raciocínio humano, seria uma forma de promover o progresso no campo das relações interpessoais, tanto nos microgrupos (casal, família, amigos) quanto nos coletivos mais amplos (relações étnicas; entre países). Daí a importância do que as autoras chamam de *aprendizagem emocional*.

Para desenvolver este trabalho, elas dividem o livro em três partes: a primeira de natureza teórica, e as duas seguintes de apresentação de propostas educativas para se trabalhar a aprendizagem emocional e a resolução de conflitos no Ensino Fundamental e no Ensino Médio.

Na primeira parte, as autoras trazem à tona a discussão histórica sobre a dicotomia entre razão e emoção, passando pela Filosofia, pela Neurologia e pela Psicologia. Apresentando a idéia de que tal cisão — entre razão e emoção —, conduz a uma visão reducionista e simplista acerca do funcionamento psíquico, as autoras chamam a atenção, com suas estimulantes reflexões, sobre como essa visão contribuiu para a construção de um sistema educativo centrado na dimensão racional, pública e científica.

Contrapondo-se a este modelo, assumem a proposta por uma educação que rompa as fronteiras — histórica e culturamente construídas — entre as esferas pública e privada, científica e cotidiana, racional e emocional. Ainda nesta primeira parte, no segundo capítulo, apresentam os princípios gerais para o trabalho que professores e professoras podem desenvolver visando a aprendizagem emocional e a resolução de conflitos. Alertam, contudo, que a intenção com tais propostas não é a de apresentar "fórmulas mágicas" ou técnicas comportamentais para a resolução de conflitos, e sim levar alunos e alunas a refletirem sobre situações específicas que poderão lhes auxiliar na construção de estratégias adequadas de solução de problemas.

Assumindo o referencial epistemológico construtivista, Sastre e Moreno lançam-se, na segunda e terceira partes do livro, à apresentação de sugestões de atividades pedagógicas coerentes com essa nova prática.

Voltada especificamente para o Ensino Fundamental, a segunda parte do livro também está dividida em dois capítulos: em um deles (capítulo três), todas as dezoito atividades propostas têm como principal objetivo preparar os alunos e as alunas para desenvolverem uma atitude analítica perante os sentimentos. Assim, cada atividade — que abarca diferentes linguagens — busca refletir sobre aspectos distintos como os sentimentos, os estados de ânimo e as relações interpessoais que podem provocá-los, acentuá-los ou amenizá-los.

O quarto capítulo está centrado nas relações e nos conflitos interpessoais. As autoras propõem doze atividades para serem desenvolvidas em sala de aula, em que os conflitos do cotidiano são transformados em instrumentos valiosos na construção de um espaço autônomo de reflexão e ação. Assim, os alunos e as alunas são solicitados, por exemplo, a diferenciarem os elementos presentes num mesmo conflito, a diferenciarem suas possíveis causas, a considerarem os sentimentos, pensamentos e valores das pessoas envolvidas, a refletirem sobre os prós e os contras das possíveis soluções. Em uma palavra, os conflitos são transformados em objetos de conhecimento.

A terceira e última parte do livro, também dividida em dois capítulos, está voltada para o Ensino Médio, embora possa, como a segunda parte, ser adaptada para outros níveis de ensino. O capítulo cinco, intitulado "A resolução de conflitos e a ética da justiça", traz nove propostas de atividades, todas centradas na construção autônoma e solidária de coletividades criativas, generosas e justas. Para tanto, tomam como objetos de reflexão os sentimentos, os pensamentos e as ações dos sujeitos de direitos e deveres, que é cada ser humano.

No capítulo seis, intitulado "A resolução de conflitos e a ética do cuidado", as onze atividades propostas objetivam favorecer o desenvolvimento das habilidades necessárias para uma análise que contemple e integre os aspectos afetivos e cognitivos das condutas humanas. Enquanto o capítulo anterior está centrado na reciprocidade de direitos e deveres, este ressalta a íntima satisfação pessoal advinda de ações generosas. Aponta, pois, caminhos para uma formação moral pautada na ética do cuidado, que considera também como essencial os aspectos intrapessoais e a busca virtuosa da felicidade.

Finalizando esta apresentação, gostaria de ressaltar dois aspectos que permeiam toda a obra em questão. A preocupação com questões relacionadas às diferenças de gênero e de "sexismo", que rondam as escolas e sua estrutura pedagógica, serve como pano de fundo para todas as propostas didáticas apresentadas. As autoras acreditam que as relações de gênero precisam ser problematizadas no cotidiano escolar e que o androcentrismo cultural da sociedade contemporânea precisa ser erradicado.

O segundo aspecto a ser ressaltado é que este livro não pretende ser um "receituário" para lidar com os sentimento e afetos na escola. Muito menos um livro didático. Seu objetivo, que perpassa todo o texto, é o de abrir caminhos para aqueles profissionais que acreditam que as escolas devem integrar em seus projetos político-pedagógicos a preocupação em não fragmentar as vertentes racional e emocional do pensamento, as esferas pública e privada da vida humana e os campos científico e cotidiano do conhecimento.

O convite a essa nova empreitada está feito.

São Paulo, outubro de 2002.

Agradecimentos

As páginas dos livros estão sempre atravessadas pelas vivências e pelos sentimentos de quem as escreve. Sem eles um livro seria um conjunto de palavras ordenadas que cala seus sentidos. Neste livro, sentimentos e vivências não são as raízes ocultas que sustentam as idéias, mas sim um tema aberto à reflexão e ao trabalho. Quando as ações e as experiências emocionais vividas ao longo do tempo tomam a forma de pensamentos, renascem como palavras e tornam-se compreensíveis e comunicáveis. Mas este é um trabalho que não se pode fazer de forma isolada, e sim junto a quem compartilha nossas experiências. Todas essas pessoas — e o quanto aprendemos com elas — estão aqui com suas idéias e sentimentos. Como agradecer a todas pelo que contribuíram? Talvez bastasse agradecer ao mundo e à sorte. Ao primeiro, por ter-lhes dado um lugar e uma "permissão de domicílio" e, à segunda, por tê-las aproximado do "nosso universo" no momento oportuno. Mas algo nos diz que isto não é suficiente, porque são entre si muito diferentes, e é precisamente esta a característica — que ficaria oculta — que mais nos enriqueceu.

Aurora Leal e Joan Fortuny contribuíram com idéias, conhecimentos, reflexão e poesia, imagens e vozes para dar luz ao inesperado. Dolors Busquets, Carlos Gallego, Xesca Grau e Asunción López acompanharam-nos, de longe e de perto, durante anos, compartilhando sentimentos, sonhos e projetos, que são o princípio do trabalho. Teo Pavon, Antonio Armada, Mónica Timón e Isabel Rairiz mostraram-nos a ampla diversidade de diálogos que os(as) estudantes matêm com seu entorno social, privado e público, justo e generoso. Os resultados de suas teses de doutorado, assim como os créditos de investigação de Asunción León, Montserrat Ricard e Coral Caro e as colaborações de Bárbara Biglia, Marc Ros e Jose Hernández ajudaram-nos no projeto e na concretização prática deste livro.

Montserrat Moli e Montserrat Cairó foram amigas e colaboradoras nos trabalhos iniciais que resultaram, anos mais tarde, neste livro.

Que nosso agradecimento chegue também ao conjunto de professores(as) que tão generosamente nos abriu as portas de suas classes. Especialmente a Eulalia Lledó que nos presenteou com sua valiosa ajuda para ter acesso aos(às) alunos(as) do Ensino Médio. Também a todos os professores e professoras que, de alguma maneira, tornaram viável nossa aproximação à prática: Ita Alabat, Ana Arnella, Roser Asis, Carme Barba, Laura Carbó, Lourdes Casanovas, Angela Cruanyes, Angels Esterri, Inma Estruch, Maria Carmen Fábregas, Marta Fornés, Patricia Fuster, Pep Guinovart, Maixe Huerga, Encarna Isanda, Merce Marimón, Pilar Martín, Carmen Medrano, Francesc Noguera, Roser Pich, María Rivero, Mari Sol Toledo e Montserrat Tremoleda. Queremos também reconhecer nossa dívida com estudantes das diferentes instituições educativas com as quais trabalhamos, pois sem seu interesse e sua curiosidade este trabalho não seria possível.

Todos os projetos têm uma origem: a deste remonta ao final dos anos 1980, quando o Instituto da Mulher, do Ministério de Assuntos Sociais, nos propôs a elaboração de alguns materiais didáticos para promover uma educação não-sexista. Inevitavelmente, sua elaboração levou-nos a estabelecer a necessidade de contemplar os ensinamentos que uma preparação para a vida cotidiana e privada requer, tão distantes dos currículos tradicionais, que se limitam a contemplar exclusivamente o que consideram necessário para a vida pública. A educação dos sentimentos e a aprendizagem de formas não-violentas de resolução de conflitos constituíam alguns dos temas fundamentais. Estes temas, contidos em alguns materiais intitulados "O conhecimento do meio — A transversalidade a partir da co-educação", foram editados em 1994, pelo Instituto da Mulher e pelo Ministério da Educação e Ciência. Deles partiram nossos trabalhos posteriores. Daquela época inicial, devemos agradecimentos à então diretora do Instituto da Mulher, Carmen Martínez Ten, a Marina Subirats, inspiradora e defensora do projeto, que nos incentivou e ajudou em todos os momentos para sua realização, a Teresa Eulalia Calzada, que nos presenteou com o suporte institucional do ICE da UAB, sua eficiência organizadora e seu inestimável apoio pessoal. Do Instituto da Mulher, Ana Mañeru acompanhou dia a dia os trabalhos com o zelo que a caracteriza. A todas essas pessoas dirigimos um agradecimento muito especial.

Do outro lado do Atlântico, Valéria Amorim Arantes e Ulisses Araújo enriqueceram nossos trabalhos e apresentaram-nos visões originais e criativas por meio dos seus trabalhos e das longas conversas de que, com freqüência, pudemos desfrutar, vencendo a distância geográfica.

Finalmente, nosso alento muito especial para aquelas e aqueles profissionais que se deixaram seduzir por uma forma mais completa e inovadora de enfocar seu trabalho cotidiano, não se limitando aos conteúdos tradicionais.

Muitos dos trabalhos de investigação nos quais se apóia este livro foram possíveis graças a projetos subsidiados pela DGICYT e I+D+I, e, efetivamente, aos projetos DGICYT nº PB96-0215 e aos I+D+I financiados por meio do Instituto da Mulher: Projeto nº 45/98 e Projeto nº 17/00.

Introdução

Em toda convivência há momentos aprazíveis e momentos conflituosos. O conflito é uma parte natural da vida. Sua solução proporciona importantes elementos para a mudança e o crescimento pessoal. Este livro é dirigido a pessoas que desejam que as novas gerações aprendam a refletir sobre seus conflitos com a razão e a emoção, que se formem para compartilhar tanto os problemas como suas possíveis soluções.

A razão e a emoção são as bases em que nos apoiamos para compartilhar relações pessoais equilibradas e satisfatórias. Seu desfrute não é um dom gratuito. Tampouco é resultado de um trabalho para o qual nos tenha sido dada uma formação sistemática. Em todas as etapas da vida nossa geração teve de solucionar problemas sem ter um conhecimento claro de suas fontes.

Não fomos preparados para compartilhar nem para resolver com agilidade e de forma não-violenta os problemas que iam surgindo em nossas relações pessoais. Não desenvolvemos a sensibilidade necessária para saber interpretar a linguagem de nossos sentimentos. Nossa razão não foi exercitada na resolução de conflitos e tampouco dispúnhamos de um repertório de atitudes e comportamentos práticos que nos permitissem sair dignamente de uma situação. Em síntese, nossa formação nos tornou mais hábeis para lidar com o mundo físico do que com o social; aprendemos mais coisas do mundo exterior que de nossa própria intimidade, conhecemos mais os objetos que as pessoas do nosso convívio.

Sabemos, por ter experimentado os déficits de nossa própria formação, que é necessário mudar os processos de socialização das novas gerações. Um dos objetivos fundamentais deste livro é ajudar estudantes a relacionar-se, a compartilhar os problemas que surgem de sua convivência diária e a elaborar soluções conjuntas. Sabemos que a educação formal tem limites, que os(as) professores(as) não podem atenuar todos os déficits de um sistema social que aumenta, lenta e progressivamente, a competitividade e a agressividade, inclusive no seio das instituições educacionais. Apesar disso, dirigimo-nos aos(às) professores(as) porque acreditamos que são um dos estamentos sociais mais dispostos a prestar sua generosa ajuda às novas gerações.

Primeira Parte

Cognição e Afetividade

Genoveva Sastre
Montserrat Moreno

1

Uma Visão Atual sobre as Emoções e os Sentimentos

A humanidade não é nem uma herança nem uma conquista. Nossa verdadeira herança está em nossa habilidade para fazermo-nos e moldarmo-nos a nós mesmos, sendo os criadores e não as criaturas de nosso destino.

Ashley Montagu
A natureza da agressividade humana

UMA DAS crenças fortemente enraizadas em nossa cultura tem sido, durante muitos séculos, a de que a razão e as emoções constituem dois aspectos claramente distintos do ser humano. Pensamos — diz-se — com o cérebro e amamos com o coração. A razão tem sido considerada como aquilo que nos conduz ao porto seguro da verdade ou, ao menos, nos aproxima dele, enquanto o universo das emoções se supõe impregnado de armadilhas que nos induzem facilmente ao erro. Filósofos e pensadores de todas as épocas não cessaram de nos advertir dos perigos que penetram as emoções e fizeram isso, com freqüência, de maneira exageradamente emocional. Sêneca condenava a emoção como algo que pode transformar a razão em escrava; Kant a considerava uma enfermidade da mente; e Spinoza a via como o que leva a razão à parcialidade, para não citar mais que alguns exemplos. Evidentemente estas afirmações se baseavam em apreciações pessoais e preconceitos éticos, mas em nenhum caso se apoiavam em demonstrações incontestáveis, muito menos em trabalhos experimentais.

Curiosamente, estes sábios pensadores incorrem em uma importante contradição. Falam das emoções com uma linguagem supostamente lógica e racional, mas não demonstram suas afirmações. Dado que as afirmações lógicas se caracterizam por ser demonstráveis, não temos outra alternativa além de pensar que estas não o são. A partir daqui, devemos passar diretamente a considerar as palavras destes pensadores como o resultado de atitudes emocionais e a atribuir-lhes as mesmas probabilidades de nos enganarem que eles atribuem às emoções.

Existem, há muito tempo, curiosas crenças sobre as emoções. Nos textos de Aristóteles, encontramos a idéia de que os sentimentos residem no coração e que o cérebro — "indiferente ao tato", segundo o Estagirita —, cuja função lhe era desconhecida, tem a missão de esfriar o coração e os sentimentos nele localizados[1]. Esta crença, que na atualidade é impossível manter, chegou até nossos dias transformada em metáforas usadas em poesia, mas também na vida cotidiana. Assim, por exemplo, dizemos "despedaçou o coração", "sinto isso de todo o coração", "meu coração tem um pressentimento", para nos referir aos sentimentos; em troca, quando fazemos referência à razão, usamos metáforas que indicam sua localização no cérebro, como quando dizemos: "é uma pessoa fria e cerebral", "é puro cérebro", "sejamos cerebrais", por exemplo.

Na linguagem permanecem — como fósseis — idéias muito antigas, por meio das quais se pode rastrear a pré-história de

1 Na *História dos animais* lemos: "O cérebro de todos os animais de sangue não tem veias e naturalmente é indiferente ao tato". Em *As partes dos animais*, Aristóteles assegura: "Que (o cérebro) não possui continuidade com os órgãos dos sentidos é evidente pela simples inspeção e demonstra isso ainda mais claramente o fato de que, quando é tocado, não produz sensação alguma [...] mas a natureza idealizou o cérebro como contraposto da região do coração com seu calor interno [...]. O cérebro, pois, atenua o calor e a ebulição do coração".

nossa maneira atual de pensar, não tanto o que acreditamos conscientemente, mas o que constitui nosso pensamento inconsciente, aquele que sustenta o que consideramos "evidente" e que não necessita ser demonstrado. Mas estas idéias, que em um passado remoto estavam claramente explicitadas, hoje em dia, permanecem no imaginário coletivo subliminarmente e, dado que todo mundo participa delas, não necessitam ser demonstradas, cumprindo assim uma função quase axiomática. Ainda que conscientemente saibamos que não são corretas, nem por isso deixamos de usá-las, não só na linguagem cotidiana, mas também como pressuposto sobre o qual podem basear-se coisas tão importantes como são o ensino — como veremos mais adiante — e a investigação científica. A psicologia, por exemplo, estudou separadamente, durante muitas décadas, os processos cognitivos e os afetivos, quando na realidade constituem fenômenos tão intimamente entrelaçados que tentar estudar um sem o outro só nos leva a explicações parciais nas quais aparecem inexplicáveis lacunas. É bem verdade que a complexidade que lhes é inerente tornava difícil estudá-los conjuntamente, mas este divórcio foi favorecido por um preconceito secular.

Se o século passado foi, para a psicologia, o do estudo separado da afetividade e da inteligência, o presente século será, sem dúvida, o de seu estudo conjunto, e isso conduzirá a mudanças muito importantes, não só no terreno da teoria mas também no da aplicação, que repercutirão na vida cotidiana. Justo é reconhecer que, para chegar até aqui, tenham sido necessárias as idéias de pensadores tão brilhantes como Freud, Piaget e muitos outros, que, graças à profundidade de seus trabalhos, nos permitiram superar o pensamento linear e ter acesso a uma visão mais complexa da problemática mental.

Esta visão adquiriu enorme força a partir dos últimos anos do século passado, graças a uma série de estudos realizados pela neuropsicologia e pela psicologia. É necessário mencionar alguns deles para compreendermos o alcance das mudanças que introduzem, sem pretender, uma revisão exaustiva.

Estudos da neurologia

Nos últimos anos do século passado, surgiu uma série de trabalhos procedentes do campo da neurologia e da neuropsicologia que apresentaram uma nova visão sobre a problemática dos sentimentos. Um deles foi realizado por Antonio R. Damasio que, em um interessante ensaio publicado em 1994, analisa o papel das emoções no funcionamento cognitivo. Depois de estudar uma série de pacientes com lesões cerebrais localizadas na área pré-frontal — considerada fundamental para o raciocínio —, encontrou em todos eles uma importante redução da atividade emocional, que o levou à conclusão de que existe uma interação profunda entre a razão e as emoções. "A redução das emoções pode constituir uma causa igualmente importante de comportamento irracional", afirma Damasio, e acrescenta: "Os poderes da razão e a experiência da emoção se deterioram juntos". Sua experiência no estudo e tratamento das lesões cerebrais leva-o à crença de que determinados aspectos do processo da emoção e do sentimento são indispensáveis para a racionalidade. Descreve a existência, no cérebro humano, de uma série de sistemas (os córtices cerebrais ventromediais, as amígdalas, os córtices somatossensoriais) que parecem dedicar-se ao que chamamos "raciocínio" e à tomada de decisões, principalmente no campo pessoal e social. Estes mesmos sistemas estão implicados nas emoções e nos sentimentos.

Baseando-se em seus trabalhos, desenvolve uma teoria que reflete a complexidade das interações entre cognição e emoções, segundo a qual não somente cognição e emoção estão reciprocamente implicadas nos processos de pensamento, mas também o cérebro e o corpo estão indissociavelmente integrados por circuitos bioquímicos e neurais que se conectam mutuamente, de tal maneira que tudo o que acontece no corpo repercute no cérebro e vice-versa. Existem mecanismos reguladores no corpo humano que asseguram a sobrevivência e que se traduzem em sensações específicas que nos alertam sobre determinados estados corporais, como, por exemplo, a sensação de fome — quando abaixa o nível de açúcar no sangue — ou uma emoção reconhecível, como medo ou raiva. Isso faz com que o organismo humano funcione como um todo, a ponto de um estado emotivo, que se reflete no cérebro, influir em todo o organismo, transformando-o e repercurtindo inclusive em aspectos com os quais antes nos parecia não haver nenhuma relação. "A angústia", disse Damasio, "que é outro estado que depende do processamento cerebral, conduz a uma depressão do sistema imunológico, de maneira que os indivíduos ficam mais propensos à infecção e, seja como resultado direto ou não, têm mais probabilidades de desenvolver determinados tipos de câncer." Todo mundo que está minimamente atento a seus estados de ânimo já experimentou maior facilidade em contrair uma gripe no inverno ou quando se está sob a influência de emoções negativas ou de uma situação de estresse.

As emoções são, para este autor, um conjunto de mudanças que se produzem no estado corporal, induzidas pelos terminais dos neurônios situados em diferentes órgãos do corpo e que são controladas por determinadas áreas do sistema cerebral, as quais, por sua vez, respondem ao conteúdo de pensamentos do sujeito. Desta maneira, pensamentos e emoções estão interconectados, e o conteúdo dos pensamentos não é indiferente para o organismo em sua totalidade. Este conteúdo tem repercussão corporal, já que sua ação não fica limitada unicamente ao cérebro, mas também se transmite a diferentes órgãos através do sistema nervoso. Isto explica por que diferentes emoções produzem mudanças bem perceptíveis em diferentes lugares do nosso corpo, como, por exemplo, "um nó" na garganta, uma pressão no estômago ou uma sensação de sufoco. Damasio assegura que o que chamamos dor ou prazer é, na verdade, um determinado "panorama do corpo" que nosso cérebro está percebendo.

Um sentimento, como a alegria ou a tristeza, seria, para este autor, a percepção conjunta de todos os estados corporais que o sujeito experimenta e dos pensamentos que se associam a tais estados corporais. A experimentação destes estados corporais não deixa, como já foi dito, o cérebro indiferente, e sim repercute, de maneira significativa, em seu funcionamento e em sua eficácia. Assim, quando experimentamos um estado corporal negativo, induzido por uma emoção desagradável, as imagens são geradas mais lentamente, sua diversidade é menor, e o raciocínio torna-se ineficiente. Em troca, quando os estados corporais são positivos, a sucessão de imagens é rápida, sua diversidade é muito maior, e a velocidade do raciocínio aumenta consideravelmente, ainda que nem por isso se torne necessariamente mais eficiente, pois a maior eficácia do pensamento não está ligada a sua rapidez.

A influência dos sentimentos sobre o funcionamento cerebral é imensa, segundo Damasio, já que sua presença no cérebro constitui o marco de referência no qual se elabora o pensamento. Desta forma, "os sentimentos têm a última palavra no que se refere à maneira como o resto do cérebro e a cognição se ocupam de suas tarefas".

A separação entre cognição e afetividade, sustentada pelos antigos pensadores e enraizada no saber popular, fica totalmente obsoleta de acordo com os recentes estudos em neuropsicologia.

Não existe nenhuma razão científica para manter esta crença nem, tampouco, para agir com base em seus pressupostos implícitos.

Mas não é só Damasio que defende, na atualidade, a inseparabilidade entre processos emotivos e processos cognitivos. Existe uma importante quantidade de trabalhos em neurologia destinados a desvendar os pormenores destas interações. Alguns são muito específicos e altamente especializados e outros são mais amplos e gerais. Entre estes últimos, encontram-se os de Joseph LeDoux, que considera que os sentimentos e os pensamentos conscientes são muito parecidos e ambos têm uma característica em comum: são gerados por processos inconscientes.

Depois de fazer uma profunda análise dos mecanismos cerebrais que intervêm nos sentimentos e nas emoções, LeDoux considera que a influência das emoções sobre a razão é maior do que a que esta última exerce sobre aquelas ("o núcleo amigdalítico tem muito mais influência no córtex do que este sobre aquele. Por isso a ativação emocional domina e controla o ato de pensar"). Depois de analisar os estudos sobre a evolução do cérebro na escala filogenética, e baseando-se em fatos, como o de que os primatas têm muito mais pontos de conexão entre o córtex e o núcleo amigdalítico que outros mamíferos, considera que, se estes pontos de conexão continuassem expandindo-se, o córtex poderia ter cada vez mais controle sobre o núcleo amigdalítico, o que permitiria ao ser humano ser mais dono de suas emoções. Considera que o conflito entre pensamento e emoção poderia ser solucionado não a partir do controle dos mecanismos emocionais pelo neocórtex cognitivo, mas sim a partir de uma integração mais harmoniosa entre a razão e a emoção no cérebro. Isso permitiria ao ser humano conhecer seus verdadeiros sentimentos e utilizá-los de maneira mais proveitosa em sua vida cotidiana.

Mas dado que, como se tem feito notar freqüentemente, a evolução do ser humano não está agora nas mãos da evolução biológica, mas, como disse Montagu, reside na "habilidade para fazermo-nos e moldarmo-nos a nós mesmos", graças a que somos "os criadores e não as criaturas de nosso destino", parece-nos evidente que a educação há de exercer uma papel primordial na consecução deste objetivo.

Estudos da psicologia

É no campo da psicologia que se tem produzido maior quantidade de trabalhos sobre as interações entre cognição e afetividade. Ainda que estes trabalhos se tenham iniciado há várias décadas, foi nestes últimos anos que se lhes dedicou maior atenção. Em meados do século passado, Piaget ministrou na Sorbonne o curso "As relações entre a afetividade e a inteligência no desenvolvimento mental da infância", do qual se conservam os textos. Apesar de este autor ter dedicado a maior parte de sua obra ao estudo do desenvolvimento cognitivo, já que estava interessado nas formas de adaptação dos organismos a seu meio, nem por isso deixou de se interessar pelo papel que a afetividade desempenhava em tal adaptação. Este não foi, contudo, um de seus principais temas de investigação. Considerava os sentimentos como o motor que impulsiona a ação, e esta visão não está distante das mais notáveis teorias sobre as emoções que recentemente foram desenvolvidas em psicologia.

Piaget apresentou, além disso, uma importante contribuição para o conhecimento das semelhanças entre as formas de funcionamento da cognição e da afetividade. Desde os trabalhos de Freud se sabia da existência de um inconsciente afetivo, sobre o qual baseou grande parte de seus trabalhos psicanalíticos, mas o que não se havia descrito era a existência de um inconsciente cognitivo, que Piaget (1970) pôs em evidência. Cognição e afetividade têm, pois, uma característica em comum: uma parte muito importante escapa à consciência.

Trabalhos muito mais recentes dedicaram-se a estudar os pensamentos e as percepções inconscientes. Um dos experimentos mais conhecidos constituiu o que se chamou de "propaganda subliminar", por meio da qual podemos comprar e consumir determinados produtos sem que saibamos por que o fazemos.

Entre estes trabalhos que partem do campo da psicologia cognitiva, encontram-se os de Ortony, Clore e Collins que, baseando-se nos estudos sobre o conhecimento, se perguntam como se estruturam cognitivamente as emoções. Tentam explicar de que maneira a percepção que as pessoas têm do mundo, ou seja, a forma como cada uma interpreta um fato ou uma situação, causa um tipo ou outro de emoção. O que se propunha, na realidade, era averiguar a influência que a cognição exerce sobre as emoções. Depois de suas análises, chegaram à conclusão de que a emoção concreta que uma pessoa experimenta diante de uma dada situação é determinada pela maneira como tal pessoa interpreta a situação. Deste modo, a forma como um sujeito processa uma informação influenciaria de maneira determinante nas emoções que ele lhe provoca.

Muitos outros trabalhos teóricos aclararam tais idéias, entre os quais cabe destacar o de Howard Gardner, *Inteligências múltiplas*, no qual considera que não faz sentido falar da inteligência como uma função única, já que algumas pessoas desenvolvem funções diferentes — que ele denomina "inteligências" —, das quais descreve sete.

Mas talvez o autor que mais chame atenção atualmente para os aspectos emocionais do comportamento é Daniel Goleman que, com seu livro *Inteligência emocional*, publicado em 1995, obteve um grande êxito entre um público muito numeroso e variado. O interesse social que este autor despertou sobre a temática das emoções constitui uma base fundamental para facilitar uma mudança na consideração coletiva sobre esta problemática.

Uma recente e importante contribuição, dentro do campo da psicologia, vem de uma série de trabalhos editados por Frijda, Manstead e Bem, no ano de 2000, com o título *Emotions and beliefs* (Emoções e crenças). Estes autores consideram que as emoções exercem uma poderosa influência sobre nossas crenças. De fato, as crenças — que se distinguem do conhecimento, porque este último tem um fundamento mais sólido — apóiam-se fundamentalmente em emoções e não em fatos constatáveis. A força das emoções sobre as crenças evidencia a enorme resistência que estas opõem a ser modificadas pela informação. Quando tentamos convencer alguém a mudar suas crenças sobre um assunto que tem, para esta pessoa, grande importância emocional, nossa tentativa torna-se um empreendimento praticamente desesperado, e a pessoa parece impermeável aos argumentos mais convincentes.

Algo semelhante aconteceu a Galileu, quando tentava convencer seus colegas da universidade de que a Lua tinha montanhas e não uma superfície perfeitamente cristalina. A crença na perfeição lunar, que remonta aos pitagóricos, estava muito enraizada entre os astrônomos da época e muito ligada a suas crenças sobre a perfeição da criação. Aceitar o que Galileu pretendia mostrar-lhes deveria supor, para a mentalidade da época, pôr em xeque as crenças religiosas. Por isso se negaram a olhar pelo telescópio que Galileu havia construído, com o argumento de que aquele instrumento não podia acrescentar nada ao que já estava nos livros e que olhar através dele só lhes ia trazer confusão.

As emoções, segundo Frijda, dão sustentação às crenças e, por meio delas, induzem as pessoas a agir de uma determinada maneira; o pensamento racional, por sua vez, não é suficiente para a ação. Da mesma maneira que os sentimentos induzem a determinadas crenças (por exemplo, a crença na bondade de uma pessoa que amamos), as crenças induzem a determinados sentimentos (por exemplo, se acreditarmos que algo traz azar, teremos medo desse algo e iremos evitá-lo). Os sentimentos estão apoiados em crenças, e as crenças em sentimentos; portanto, um sentimento positivo em relação a uma pessoa facilita a cooperação e leva-nos a confiar nela e a acreditar no que diz.

Por que nos esquecemos dos sentimentos no currículo e nas crenças da sociedade

Para desfazer crenças inconsistentes

As barreiras que antes se estabeleciam entre cognição e afetividade não têm nenhuma razão de ser de acordo com os conhecimentos atuais, tanto da neurologia como da psicologia, ciências que abordam a problemática emocional a partir de pontos de vista diferentes. Seja como for, ambos os aspectos do funcionamento mental humano estão estreitamente relacionados, e só o desconhecimento destas interações produziu, em um passado que ainda existe, a falsa ilusão de sua independência. Se a relação entre cognição e afetividade é tão estreita, podemos estabelecer o desenvolvimento de uma sem levar em conta a outra? Fazê-lo supõe aceitar crenças que se apóiam em uma tradição que merece de nós um respeito milenar, mas que, hoje em dia, já não podem sustentar-se. Estas crenças têm muito a ver não só com a idéia que se tinha das emoções e dos sentimentos, mas também com a finalidade que se atribuía à inteligência. Convém analisar isto.

Alguns preconceitos sobre a inteligência

A inteligência, como função biológica, não tem um objetivo preciso e limitado. Não existe, nem genética nem evolutivamente falando, para dedicar-se a áreas precisas do conhecimento. A função intelectual não foi feita para ser aplicada, especificamente, ao conhecimento da Matemática, da Física, da Filosofia ou da Economia, nem vem predeterminada para ter êxito na aprendizagem das matérias curriculares. É uma função aberta ao conhecimento de tudo o que é possível e, inclusive, daquilo que parece impossível em determinado momento histórico. Não obstante, o sistema educacional a direciona para algumas determinadas áreas de conhecimento, a exercita reiteradamente nelas durante muitos anos consecutivos e termina fazendo uma ilegítima inversão reducionista: se isto exercita a inteligência, a inteligência *é* o que isto exercita. Ou seja, limita a inteligência ao que, previamente, definiu como tal, excluindo ou não reconhecendo tudo aquilo que não faz parte das matérias curriculares. Não existe uma especificidade na capacidade do conhecimento inteligente que o limite às matérias curriculares; ao contrário, as matérias curriculares limitam tal capacidade a si mesmas, o que é o mesmo que dizer que o social, por meio do currículo, decide o que é inteligente e o que não o é.

Desenvolver o conhecimento no campo afetivo e no das relações interpessoais não é considerado particularmente inteligente pelo sistema estabelecido, o que faz com que estes ensinamentos possíveis não figurem no currículo. Isto não constitui uma escolha realmente admirável, a julgar pelas conseqüências que traz. Entre estas conseqüências, pode-se facilmente perceber um desequilíbrio entre o nível de evolução que alcançam os aspectos cognitivos do pensamento — exercitados intencionalmente no ensino formal — e os aspectos afetivos — banidos de tal ensino ou por ele ignorados —, que permanecem em estado de subdesenvolvimento. Isso conduz a uma sociedade muito bem preparada para progredir no campo da tecnologia — inclusive a militar —, mas deixa esta tecnologia nas mãos de indivíduos que não sabem conscientizar e organizar suas emoções nem resolver conflitos de maneira não-violenta, isto é, nas mãos de analfabetos emocionais. Muitos dos atuais políticos e militares envolvidos em guerras e massacres foram, em algum momento, estudantes aos quais se ensinou com muita ênfase a resolver problemas relacionados com matérias curriculares, mas que não foram os preparados para resolver conflitos interpessoais de maneira inteligente.

Não parece ser uma idéia feliz preparar o ser humano para ser capaz de alcançar um alto desenvolvimento tecnológico que permita produzir inúmeros bens materiais — mas também instrumentos de destruição massiva — e não lhe ensinar os recursos necessários para alcançar um maior bem-estar individual e coletivo.

Aprofundar reflexões como estas leva-nos à seguinte pergunta: estamos realmente ensinando o mais importante ou limitamo-nos àquilo que se adapta às necessidades e crenças de uma determinada ideologia, cujas raízes não acabamos de questionar?

Ninguém pensa ou descobre o mundo por si mesmo, mas sim guiado por outras visões que nos dizem o que há para ver naquilo que observamos. Fornecem-nos um código, supostamente universal, para decifrar o significado de objetos, fenômenos, sentimentos, desejos e fatos. Ensinam-nos uma forma coletiva de interpretar o que vemos, a qual faz com que nos sintamos fazendo parte de uma cultura. Mas não percebemos isso como uma forma particular de julgar ou interpretar alguns fatos, e sim como a forma indiscutível e única de ver o mundo, devido a um fenômeno de empatia cultural que leva qualquer indivíduo a considerar certo aquilo em que acredita a imensa maioria de seus contemporâneos.

No entanto, se consideramos que o que a maioria de nossos contemporâneos pensa é muito parecido com o que seus antepassados lhe ensinaram que era certo e que estes, por sua vez, aprenderam de outros antepassados, aqueles de outros, e assim sucessivamente, temos que nosso sistema de crenças remonta a tempos muito distantes, nos quais, certamente, esta forma de ver o mundo tinha muito mais utilidade e era mais adequada do que é na atualidade.

Ainda que, em muitos aspectos, o mundo atual tenha experimentado grandes mudanças em relação às gerações que nos precederam, em aspectos extremamente importantes nos quais continuamos a nos guiar pelos costumes, isto é, por uma forma de pensar e atuar não refletida nem submetida à crítica, e cujas razões se escondem sob álibis de séculos.

História de algumas crenças

No trabalho antes citado, Frijda, Manstead e Bem descrevem como os sentimentos influenciam as crenças. Os sentimentos acompanham tanto nossos desejos que obter o desejado nos provoca sentimentos positivos, enquanto sua privação ou carência nos induz a experimentar sentimentos negativos. Daí que nossos desejos — e também nossos temores, que constituem sua outra face — favoreçam determinadas crenças e nos predisponham a aceitá-las. Mas que vantagem há para nossa sociedade em manter a crença de que o ensino deve desenvolver os aspectos cognitivos da personalidade dos(as) alunos(as) e não dedicar atenção semelhante a seus aspectos emocionais e afetivos? Se observamos as conseqüências do que Goleman chama "analfabetismo emocional", é difícil encontrar alguma vantagem nelas. Do ponto de vista dos(as) professores(as), não é nada agradável estar em uma classe com alunos indisciplinados, desorganizados e sem autocontrole, capazes, até mesmo, de chegar à agressão física. Do ponto de vista dos(as) alunos(as), tampouco é fácil suportar a agressão psíquica ou física de companheiras ou companheiros descontrolados e violentos sem dispor de recursos para enfrentá-los que não sejam os que repudiam na outra pessoa. Tampouco é bom, para os(as) estudantes em geral, não saber como lidar com seus sentimentos quando se defrontam com um conflito interno ou com outras pessoas. É difícil, pois, encontrar vantagens em currículos que ignoram a aprendizagem de sentimentos e emoções. Porém alguma razão deve haver.

Uma razão poderia ser que o ensino tenta desenvolver aqueles aspectos tidos como os que preparam melhor para a aprendizagem das coisas consideradas mais importantes. Mas importantes para quê? A resposta poderia ser, talvez, "para o mundo profissional", o que suporia, pelo menos, uma resposta pouco ambiciosa, cujo objetivo poderia ser alcançado suprimindo grande parte dos conteúdos curriculares. Não acreditamos, pois, que seja a resposta mais adequada. Outra resposta poderia consistir em considerá-lo importante para transmitir nossa cultura às novas gerações, tudo aquilo que supõe o legado de séculos, unido às novidades da ciência e da tecnologia atual. Se esta resposta — ou outra similar — nos parece adequada, teríamos de admitir, então, que entendemos por cultura unicamente os conhecimentos que adquirimos sobre objetos, fenômenos e fatos que acontecem em nosso exterior, mas não aqueles que têm lugar dentro de cada pessoa nem entre as pessoas como sujeitos individuais. Só as relações coletivas e públicas fariam parte de nosso acervo cultural, mas não as relações interpessoais e privadas nem os avanços que se têm realizado nelas.

Uma resposta, baseada numa perspectiva mais ampla, defenderia esse currículo por considerar que as matérias curriculares não só pretendem transmitir conhecimentos, mas também exercitar aspectos funcionais da cognição, que teriam como finalidade desenvolver a capacidade de raciocinar, pensar e refletir sobre determinados aspectos que conduzem a uma boa formação intelectual. Se fosse assim, pareceria uma boa justificativa, mas dois aspectos ficariam sem explicação. Em primeiro lugar, se a finalidade é funcional e se se supõe que a aprendizagem de determinados conteúdos ativa certas funções cognitivas, por que razão as avaliações não consideram este importante aspecto e, no lugar de avaliar se foram realmente desenvolvidas as funções que se pretendem desenvolver, centram-se em avaliar se adquiriram ou não determinados conhecimentos? Em segundo lugar, sob esta ótica, ficaria evidente que as funções que se pretendem potencializar estão fundamentalmente centradas no raciocínio e na reflexão em torno de temas que não estão relacionados com o pessoal nem com os aspectos emocionais do ser humano. Isso suporia menosprezar a possibilidade de desenvolver a cognição no campo das relações interpessoais e no dos sentimentos e problemas que fazem surgir.

Outra possibilidade, que não descarta as anteriores, poderia ser de que simplesmente seguimos uma tradição milenar, segundo a qual o ensino deve transmitir os conhecimentos inerentes àquelas matérias que desde sempre se têm considerado como as mais importantes e fundamentais para a formação das pessoas, sem se perguntar se as mudanças operadas no mundo atual, as necessidades, os valores e as problemáticas de nossa sociedade se vêem atendidos com a formação que os(as) estudantes recebem o no ensino obrigatório, ou se existem nela enormes lacunas que somos incapazes de detectar, porque nos deixamos guiar pelas crenças, isto é, por aquilo que nunca questionamos.

Tem-se dito que, por mais ousado que pareça questionar-se sobre o desconhecido, é ainda mais ousado fazê-lo sobre o conhecido. Se começarmos a nos perguntar sobre o que parece evidente, talvez descubramos novas evidências que possam questionar algumas de nossas crenças.

Assim, por exemplo, podemos começar com as seguintes perguntas: no Ensino Fundamental e Médio ensina-se aquilo que vale mais a pena ser aprendido? É o mais conveniente para viver em uma sociedade como a nossa? Quem decidiu assim? Em função de que interesses se escolheram as matérias, dentre tudo o que é possível ensinar?

Responder a estas perguntas leva-nos a olhar para trás, na história, para as origens remotas do que hoje se transformou em matérias curriculares. "Matemática", "Física", "Filosofia", "Gramática", "História" são palavras de origem grega. Foram os filósofos gregos que elegeram, do universo de tudo aquilo que era possível pensar, os campos do conhecimento que lhes pareceram mais interessantes e mais dignos de serem estudados. Eles elegeram as temáticas em função de seus interesses e decidiram o que era mais importante, sobre o que valia a pena refletir naquele momento e naquela sociedade.

Contudo, a sociedade grega era uma sociedade elitista, escravista e androcêntrica, em que só tinham direito de voto alguns varões, mas não as mulheres nem os escravos. Isto tinha conseqüências muito importantes. Entre elas, encontramos o desprezo por aquelas tarefas que estavam ligadas à vida cotidiana e pelos trabalhos manuais, que eram destinados às mulheres e aos escravos. Este deprezo constata-se em textos como os de Xenofonte, quando diz em seu *Econômico*: "Os ofícios que se chamam manuais estão desacreditados e certamente é natural que nas cidades sejam desprezíveis. São trabalhos que arruinam o corpo [...]. Ao ficarem os corpos de tal maneira debilitados, também as almas envelhecem" (Xenofonte, *Econômico*, IV, 2).

Também Platão, em suas *Leis*, considera desprezíveis os trabalhos manuais e aconselha os cidadãos que não os realizem e que os deixem para os escravos. Mas o que acontece quando um cidadão não é suficientemente rico para dispor de escravos? A resposta para esta pergunta é dada por Aristóteles, em sua *Política*: "Os pobres, ao não terem escravos, devem empregar suas mulheres e filhos como serviçais".

Com este raciocínio, não era estranho que os pensadores gregos se dedicassem a estudar tudo aquilo que estava distante dos trabalhos manuais, do cotidiano, próprio de mulheres e escravos e considerados desprezíveis. Como conseqüência, também era considerado indigno tudo aquilo que era útil e aplicado. Os que se dedicavam à educação, excluíam todas estas coisas do ensino.

Também a tecnologia e a construção de artefatos eram mal vistas entre os gregos, e alguns censuraram Arquimedes por seus inventos, porque tinham utilidade prática e estavam distantes da especulação filosófica, considerada uma das ocupações mais dignas. Esta dignidade ocupacional era compartilhada pela guerra, considerada uma tarefa enobrecedora e honrosa, apesar dos estragos que causava entre tantos sábios cidadãos. Embora não fosse exatamente um trabalho intelectual, não se considerava que a guerra envelhecesse os corpos, ainda que, como é de se supor, devia deixá-los bastante machucados.

O valor, que se colocava em evidência nos campos de batalha, era uma das virtudes supremas que se opunham naturalmente à covardia, qualidade própria das mulheres que não sentiam a paixão guerreira dos gregos (como bem o evidencia Aristófanes, em seu *Lisistrata*). Delas disse Platão, no *Timeo*: "Dos homens criados no princípio, os que tiveram uma conduta covarde e injusta renasceram na segunda geração como mulheres". As gregas não constituíam, pois, um modelo a imitar, nem nenhuma de suas atividades e formas de comportamento deveriam ser dignas de enaltecimento.

Este sistema de valores que sustentavam os homens gregos, cuja posição econômica lhes permitia dedicar-se à filosofia, conduzia-lhes a ocupar seu tempo no estudo de algumas partes da realidade, muito distantes de tudo o que fosse relacionado com a prática cotidiana e os trabalhos inerentes a ela. Por esta razão, cultivavam as disciplinas que ainda hoje dão nome às matérias curriculares e transmitiam a seus discípulos os ensinamentos derivados de suas especulações. É claro que os conteúdos da Física, da Matemática, da Filosofia etc. que atualmente se ensinam nas escolas e instituições não são os mesmos que ensinavam os grego s. O que se conserva e a que se atribui prioridade são os campos do conhecimento que eles elegeram e a divisão do universo do conhecimento que criaram, ou seja, aquilo que consideravam que era mais importante conhecer e a que dedicaram seus esforços intelectuais. E isso ocorre assim, apesar de os valores — que sustentavam a moral dos varões gregos e incentivavam que se ocupassem de determinada temática e não de outra — estarem muito distantes dos nossos. Contudo, continuamos sustentando como fundamentais os mesmos campos de estudo no Ensino Fundamental.

Embora tenhamos superado seu desprezo pela tecnologia e pela sua aplicação, o mesmo não acontece com outros aspectos do conhecimento. Entre eles estão tudo o que concerne à problemática inerente à vida privada e o que está relacionado com a vida cotidiana.

Ainda que muitos de seus valores já não sejam os nossos, o ensino atual continua baseando-se no que eles consideravam mais digno de ser aprendido. Em virtude das dicotomias que se estabelecem entre público e privado, científico e cotidiano, cognitivo e afetivo, o ensino inclina-se para o público, para o científico e para o cognitivo e não considera o privado, o cotidiano e o afetivo. Ensina-se tudo o que se considera útil para a vida pública, que se crê desenvolver os aspectos cognitivos do pensamento tidos como vinculados ao científico.

A partir destas reflexões, surge uma pergunta: o ensino transmite realmente tudo o que é mais necessário no momento social atual? Que função cumprem os ensinamentos escolares na vida de uma pessoa adulta?

Em um livro intitulado *Para onde vai a educação?*, Piaget perguntava-se quais coisas recordava um adulto camponês, ou de qualquer outra profissão não-intelectual, de tudo o que havia aprendido na escola. Esta pergunta, muitos anos mais tarde, continua sem ser respondida. Poderia o leitor ou a leitora imaginar uma resposta?

Aplicamos uma pesquisa em uma amostra de 120 estudantes de primeiro ano de universidade para obter alguns dados sobre o que recordam de algumas coisas que aprenderam no Ensino Fundamental e Médio. Na primeira parte da pesquisa, perguntávamos sobre as lembranças que conservavam de alguns destes conhecimentos e sobre a utilidade que lhes concediam. Na segunda parte, perguntávamos sobre a utilidade dos ensinamentos recebidos para a resolução de seus conflitos pessoais.

À pergunta "O que você lembra da Física que estudou no Ensino Fundamental ou Médio?", o grupo mais numeroso, formado por 56% das pessoas, assegura que não recorda nada ou muito pouca coisa e não nomeia nenhuma das noções estudadas. 39% respondem enumerando diversos conceitos isolados de Física (força, velocidade, aceleração, peso, equilíbrio, energia, inércia, resistência, massa etc.). Só 5% das pessoas asseguram recordar tudo ou quase tudo o que aprenderam na escola sobre esta matéria, embora não nomeiem concretamente nada do que afirmam recordar.

Na pergunta seguinte, "Quantas vezes utilizou, em sua vida adulta, os conhecimentos de que recorda?", obtivemos os seguintes resultados: 42% das pessoas asseguram que nunca os utilizaram. 19% consideram que os utilizam com muita freqüência em sua vida cotidiana, mas dão como exemplo atividades para as quais não é necessário nenhum conhecimento desta disciplina científica, como, por exemplo, "fazer força para abrir um pote", "levantar objetos pesados", "praticar esportes", "calcular a água que deve ser posta na banheira para que não extravase ao entrar", "para dançar", "para não perder o equilíbrio quando se anda por uma calçada estreita" etc. Incluímos nesta categoria uma pequena porcentagem de pessoas que asseguram que utilizaram com freqüência seus conhecimentos de Física para resolver palavras cruzadas ou para entreter-se com algum passatempo. Um grupo, constituído por 16% das pessoas, refere-se à utilidade dos conhecimentos de Física com conceitos muito gerais, como, por exemplo, "para explicar o mundo" ou, então, "para entender os aspectos da natureza". Outro grupo, formado por 18% das pessoas, atribui a estes conhecimentos uma utilidade que não especifica, mas que considera muito importante.

A utilidade que os(as) estudantes da amostra conferem à raiz quadrada não é mais animadora que a que atribuem a seus conhecimentos de Física. À pergunta "Quantas vezes utilizou uma raiz quadrada em sua vida cotidiana, fora do contexto educativo?", 90% respondem que nenhuma, 6% nomeiam aplicações úteis como, por exemplo, para calcular áreas ou para dar aulas particulares, enquanto 4% asseguram tê-la usado para jogos diversos.

À pergunta "Recorda os rios que desembocam no Cantábrico*?", uma maioria, constituída por 75% das pessoas en-

* NE – Rio da Espanha.

trevistadas, diz não recordar nenhum, 17% nomeiam ao menos um corretamente e 8% não nomeiam nenhum correto.

Estes resultados evidenciam o escasso significado que os(as) alunos(as) atribuem a sua aprendizagem escolar. Isso não quer dizer, contudo, que esta aprendizagem não tenha desempenhado realmente um papel importante em sua formação intelectual e em sua maneira de pensar; apenas que, em sua maioria, as pessoas entrevistadas não têm consciência do papel que ela representou em sua formação, da função que cumpre nem de sua aplicabilidade.

Se a primeira parte da pesquisa — dirigida a investigar a recordação e a atribuição de significado de alguns aspectos da aprendizagem escolar — oferece alguns resultados inesperados em pessoas que iniciaram sua formação universitária, na segunda parte da pesquisa, que trata da resolução de conflitos, aparecem também alguns dados interessantes.

Formulamos a primeira pergunta da seguinte maneira: "Recorde um conflito importante que tenha vivido. O que o ajudou, naquele momento, a superar a situação problemática?". A maioria das respostas (45%) consiste em assegurar que o que mais ajudou foi encarar pessoalmente o problema, assumindo a situação, analisando-a ou refletindo sobre ela para ver os prós e os contras. 39% das respostas indicam que foi útil recorrer a alguém, como familiares, amigos e pessoas próximas, enquanto 14% asseguram que adotaram atitudes que tendiam a evitar o problema ou a não se confrontar com ele (por exemplo: "pensar em outras coisas", "deixar o tempo passar"). 2% não responderam à pergunta. Ninguém (0%) mencionou algum tipo de aprendizagem realizada na escola como útil para ajudá-lo a resolver seus conflitos pessoais.

A segunda pergunta foi dirigida justamente para centrar a atenção sobre a possível utilidade das aprendizagens escolares: "Algumas das coisas que aprendeu na escola lhe foram úteis para resolver algum conflito importante que tenha vivido?" 37% das pessoas asseguram, categoricamente, que o aprendido na escola não lhes foi de nenhuma utilidade para resolver os conflitos vividos. 32% afirmam que talvez os tenha ajudado em algo o aprendido na escola, mas indicam outras aprendizagens, realizadas fora das instituições educacionais, que lhes foram de maior utilidade. 26% respondem que lhes foram úteis aspectos gerais relacionados com a autodisciplina, o respeito aos demais, a vontade de fazer bem as coisas e outras atitudes fomentadas pela escola. Apenas 3% asseguram ter aprendido com os(as) professores(as) atitudes e formas específicas de agir que os ajudaram na resolução de seus próprios conflitos. 2% não responderam a esta pergunta.

Por meio destes resultados, vemos que a maioria das pessoas entrevistadas considera que o que mais as ajudou a resolver seus conflitos foi dispor de recursos pessoais para enfrentar o problema ou recorrer a outras pessoas, mas — e somente quando são interrogadas especificamente sobre isso — só uma pequena parte atribui um papel, em sua maneira de agir, à formação escolar recebida. As respostas da maioria, pelo contrário, evidenciam a certeza de que foram mais úteis algumas aprendizagens muito distantes do que proporcionaram as instituições de ensino e que realizaram por conta própria.

Por que o que se aprende na escola não é útil e o que é útil não se aprende na escola? Vemos os(as) alunos(as) — com sua realidade, seus interesses, seus problemas — refletidos no mundo que lhes descrevemos?

Responder a esta pergunta leva-nos a uma evidência, que não o será plenamente até que não se expanda e se torne coletiva: é necessário introduzir valores relacionados com a vida pessoal, considerada "privada", no ensino obrigatório. Por quê? A resposta, simplesmente, pode parecer óbvia: porque nunca a ignorância de qualquer tema do currículo provocou as mazelas individuais e coletivas às quais conduz a ignorância dos próprios sentimentos e as ações derivadas deles, nem a ignorância de formas não-violentas de resolver os conflitos, tanto os individuais como os coletivos. Violações, suicídios, crimes e agressões não têm comumente como causa a ignorância das matérias curriculares, mas estão muito freqüentemente associados a uma incapacidade para resolver os problemas interpessoais e sociais de maneira inteligente.

Não pretendemos dizer com isto que as atuais matérias curriculares não sejam necessárias; o que parece evidente é que deveriam comunicar-se, relacionar-se com experiências vitais que permitiriam aos(às) alunos(as) atribuir-lhes um significado e transformá-las em algo que lhes interesse. Embora existam, na atualidade, importantes trabalhos neste sentido, continuam sendo experiências minoritárias. Se estas experiências se generalizam, os(as) alunos(as) podem relacionar sua vida pessoal com os conteúdos científicos que impregnam nossa cultura, estabelecendo, assim, uma ponte entre o privado e o público. Isso contribuiria para romper o corte arbitrário entre ambos os aspectos do sistema social.

Algumas conseqüências

Se refletimos sobre os progressos produzidos nos últimos cem anos, no campo da ciência e da tecnologia, e os comparamos com os alcançados no campo das relações interpessoais, tanto nos microgrupos (que pode ser o casal ou a família) como nos grandes grupos (relações entre etnias ou entre países), não deixa de surpreender a desproporção existente entre os avanços efetuados em um e outro campo. Enquanto no primeiro nos deslocamos em veículos supersônicos, no segundo avançamos ainda em carroças puxadas por burros.

A ciência e a tecnologia constituem um objeto "oficial" — ou seja, público — de reflexão e de investigação, e suas conquistas são incorporadas pelas instituições de ensino, e por elas transmitidas. Já o objeto relativo às emoções e às relações interpessoais é considerado algo privado e pessoal, cuja problemática não necessita ser tematizada nem analisada seriamente. As respostas a que conduzem as emoções parecem ser inerentes à natureza humana, praticamente imodificáveis e, portanto, ineducáveis, o que parece justificar que as conquistas individuais realizadas neste campo não sejam incorporadas ao saber coletivo nem passem a fazer parte do que se transmite por meio do ensino.

Einstein dizia que a teoria é que decide o que nós podemos observar. Também se poderia dizer que o sistema de ensino é que decide o que os(as) alunos(as) podem saber. Já que agimos segundo nossas crenças e convicções, o mais importante é mudar nossas crenças e convicções. Sabemos que isto não é fácil, mas o caminho para consegui-lo é a reflexão e a conscientização que conduzem a novas evidências.

Desenvolver o conhecimento no campo afetivo e de relacionamento não havia sido considerado até agora uma tarefa prioritária para o ensino obrigatório, porque estas habilidades inteligentes eram consideradas de caráter privado e vinculadas a habilidades femininas, enquanto o ensino priorizava o que se considerava de interesse "público", isto é, a temática que persiste nas áreas de conhecimento que se iniciaram e se consideraram como valiosas em sociedades passadas, que se fundamentavam em valores androcêntricos e bélicos. E isto deu lugar a alguns preconceitos, dos quais agora estamos começando a nos desprender, porque está ficando muito caro para nós mantê-los.

Quais são as conseqüências destes preconceitos? Tentar, nem sempre com êxito, como temos visto, preparar os(as) alunos(as) para resolver certos tipos de problemas, ainda que a maioria nunca use estes conhecimentos e os esqueça com facilidade, e deixá-los(as) totalmente despreparados(as) para resolver seus próprios problemas pessoais. Prepará-los(as) para o distante e o hipotético e deixá-los(as) na ignorância do próximo e do real. Com isso se consegue uma sociedade capaz de progredir no campo da tecnologia, mas não de maneira equivalente no social e no humano.

A educação pode, além de instruir, aprimorar a maneira de ser das pessoas, ensinando-as a não aceitar o costume simplesmente por seu costume, porque, como disse Watzlawick, "o que promove a mudança é o desvio em relação a alguma norma".

Em busca de soluções

Barbel Inhelder assegurava que "aprender é proceder a uma síntese indefinidamente renovada entre a continuidade e a novidade". Aprender de nossa própria experiência pedagógica seria, neste caso, integrar aos conhecimentos tradicionais aqueles que se têm mostrado imprescindíveis no momento atual. Síntese implica união, não exclusão; é fazer nascer algo novo de elementos que antes estavam dissociados; é recriar para avançar.

A solução não é acrescentar, na forma de novas matérias curriculares, disciplinas nas quais se desenvolvam os sentimentos e se aprenda a resolver conflitos. Creio que, assim estabelecida, esta solução criaria novos problemas, como, por exemplo, perpetuar — agora dentro da instituição escolar — a cisão entre público e privado, científico e cotidiano ou aumentar ainda mais a carga docente. Não, não se trata disso. Creio que a solução passa pela integração dos saberes, isto é, pela reorganização da metodologia do ensino de maneira que os sentimentos e os conflitos não fiquem fora dela, mas que façam parte do espelho no qual os(as) estudantes se olham.

2

A Aprendizagem Emocional e a Resolução de Conflitos

A COLOCAÇÃO em prática das idéias que esboçamos no capítulo anterior não é o fruto de improvisação nem unicamente de intuição, mas exigiu um meticuloso trabalho de elaboração metodológica, baseado nas investigações existentes sobre desenvolvimento emocional e em nossos próprios trabalhos de investigação sobre a resolução de conflitos e sobre a interação entre processos cognitivos e emocionais. O trabalho que apresentaremos no próximo capítulo é uma síntese de todos eles, convenientemente transformada e adaptada às características de estudantes de diferentes idades.

Os exercícios que proporemos constituem uma exemplificação detalhada de um trabalho que foi sendo experimentado nas salas de aula durante mais de sete anos. Alguns foram publicados pela primeira vez em 1994, fazendo parte de alguns materiais editados pelo Instituto da Mulher (Moreno Marimon, Sastre, Busquets, Leal e De Miguel Vallejo, 1994). Partindo de alguns elementos daquela primeira versão — dedicada unicamente às primeiras séries do Ensino Fundamental —, foram modificados de acordo com estes anos de experiências e ampliados para abranger todo o Ensino Fundamental. Na terceira parte, apresenta-se uma série de exercícios destinados a estudantes de Ensino Médio.

No presente capítulo, exporemos algumas reflexões concernentes à metodologia subjacente à forma de trabalhar que propusemos, para que se torne mais compreensível a relação que estabelecemos entre o desenvolvimento cognitivo-emotivo dos(as) alunos(as) e suas atividades na instituição de ensino.

Pontos de partida que configuram a metodologia utilizada

Em conseqüência de tudo o que já analisamos, surge a evidência de que existe uma dicotomia em nossa maneira de pensar, que leva a considerar a inteligência e a afetividade como duas questões separadas. Esta maneira de pensar reflete, como vimos, em todo o sistema educacional. A conseqüência é que, até agora, a maioria dos esforços foi empregada em mostrar aos(as) alunos(as) tudo o que faz referência ao mundo da ciência e da tecnologia e, em geral, tudo aquilo que denominamos "cultura". Isto deixou os indivíduos desprovidos dos instrumentos necessários para conhecer o que têm mais próximo, o que mais lhes interessa, ou seja, a si mesmo e as pessoas que os rodeiam.

O resultado traduz-se em uma importante defasagem entre o conhecimento emocional e o conhecimento das matérias curriculares, o que leva ao conhecido paradoxo das profecias que se realizam. De fato, se partimos da idéia de que "cognição" e "emoção" são duas coisas independentes e, portanto, não devem ser tratadas conjuntamente e nem no mesmo âmbito, já que uma pertence ao universo do coletivo e público (a ciência, o saber, a cultura), e a outra pertence ao universo do privado, individual e pessoal (os sentimentos, as emoções e os conflitos interpessoais), fazemos, como conseqüência, com que aconteça o que esperamos que aconteça. Se tratamos e trabalhamos no ensino tudo o que está relacionado com o primeiro universo e ignoramos o relacionado com o segundo, a profecia da dicotomia se cumpre, pois um aspecto torna-se muito desenvolvido e o outro permanece subdesenvolvido. Aparecerá, então, uma clara defasagem entre ambos, já que os(as) alunos(as) não terão aprendido a raciocinar sobre a problemática que surge das relações interpessoais e serão incapazes de lidar com as emoções associadas a tal problemática. Cognição e emoção ficarão, efetivamente, dissociadas.

Se estabelecemos um paralelo com outros conteúdos, veremos como este procedimento se torna incongruente. Imaginemos, por exemplo, que no Ensino Fundamental e Médio se trabalhassem muito intensamente todas as matérias curriculares, com exceção da Matemática, e se considerasse que os(as) alunos(as) já desenvolveriam os conhecimentos que lhes são inerentes por sua conta e de maneira espontânea. Apenas em algumas ocasiões se mencionaria a excelência de alguns algoritmos que seria necessário aplicar, mas sem mostrar aos(às) estudantes os procedimentos que tornam possíveis as operações matemáticas minimamente complexas. Se isto ocorresse, seria evidentemente ilusão esperar que eles conseguissem alcançar um conhecimento matemático que fosse além de contar com os dedos, sempre e quando tivessem conseguido aprender a numeração por conta própria. Algo parecido ocorre com a aprendizagem emocional e a resolução de conflitos.

As relações interpessoais, com os pensamentos, sentimentos e emoções que as acompanham, conduzem a situações de uma complexidade com freqüência maior que a de qualquer matéria curricular. Se não há uma aprendizagem, o sujeito recorre a "contar com os dedos". No caso dos conflitos, isto supõe deixar-se levar pelas emoções e pelos impulsos sem nenhuma reflexão prévia, o que conduz a respostas primitivas, tais como agredir, inibir-se para agir, esconder-se no ressentimento e outras respostas afins.

Para resolver um conflito de maneira satisfatória, é preciso tentar descentrar-se do próprio ponto de vista para contemplar simultaneamente outro ou outros pontos de vista diferentes e, às vezes, opostos e elaborar fusões criativas entre todos eles, o que implica operações de reciprocidade e síntese entre contrários. Mas, para poder fazer isto, é preciso organizar os fatos e ordená-los de maneira causal, separar as variáveis que são pertinentes das que não são (delimitar o que é importante e o que não é), enfim, analisar situações, expor adequadamente o problema para ver em que consiste e buscar soluções que permitam resolvê-lo da maneira mais satisfatória possível para as pessoas envolvidas. Tudo isso requer uma aprendizagem que, por se tratar de temas nos quais os(as) alunos(as) estão emotivamente bastante envolvidos, se realiza com uma facilidade surpreendente. Quem não gosta de dispor de instrumentos que permitam compreender as ações e o comportamento das pessoas com as quais se relaciona cotidianamente e com as quais se está vinculado por laços de companheirismo ou de amizade? Quem não prefere a comunicação ao isolamento? Que indivíduo não gosta de sentir que os demais o compreendem e tentam ajudá-lo quando tem um problema? Quem deprezará um conselho útil? Quem não sente satisfação ao constatar que suas idéias e conselhos são úteis para outras pessoas? A motivação dos(das) estudantes é muito grande quando se trata da problemática dos sentimentos e das relações interpessoais. Concretizar estas aprendizagens requer técnicas muito simples, cuja aplicação costuma apresentar resultados muitos satisfatórios, tanto quanto mais cedo se iniciarem. Como disse Ashley Montagu: "Nenhum ser humano nasce com impulsos agressivos ou hostis e nenhum se torna agressivo ou hostil sem aprender isso". Quanto mais cedo atue a aprendizagem no campo das relações pessoais, dos pensamentos e sentimentos que as configuram e dos conflitos que nelas se originam, mais fácil será neutralizar as respostas violentas e descontroladas.

Todo projeto que tenha por finalidade educar civicamente deve conceder um lugar relevante às relações pessoais. Conhecer os sentimentos e as emoções requer um trabalho cognitivo, já que implica uma conscientização dos próprios estados emocionais, das possíveis causas de cada um deles e de suas conseqüências, ou seja, de como reagimos quando estamos sob a influência de determinada emoção. Este é um passo importante para o autoconhecimento, sem o qual será difícil prever nossos próprios estados de ânimo ou, inclusive, descobrir por que experimentamos determinado sentimento, como, por exemplo, por que ficamos de mau humor ou por que temos uma mudança emocional e respondemos, inesperadamente, de forma brusca a uma pessoa que não tem nada a ver com a problemática que realmente nos preocupa.

Posto que a cognição está fortemente implicada na aprendizagem emocional e na da resolução de conflitos, a metodologia que se mostrou útil em uma aprendizagem dirigida a potencializar o desenvolvimento cognitivo será também de utilidade para potencializar o desenvolvimento emocional. Se a transmissão direta de conhecimentos é pouco eficaz para resolver problemas que requerem, principalmente, habilidades cognitivas, por que haveria de ser melhor para aprender a resolver os problemas interpessoais e emocionais? O que buscamos não é que os(as) alunos(as) aprendam fórmulas "mágicas" para resolver situações interpessoais conflituosas, mas que sejam capazes de raciocinar em cada situação particular e adotar atitudes e comportamentos que o conduzam a resolver satisfatoriamente os problemas que lhes são apresentados. Estes problemas serão diferentes em cada situação e os(as) alunos(as) é que deverão encontrar a solução mais adequada. A proposta metodológica que, no nosso entender, melhor se adapta a esta finalidade é a que se apóia em posturas construtivistas e, mais especificamente, na epistemologia genética, em cujo âmbito temos desenvolvido nossos trabalhos sobre apredizagem (ver a referência destes trabalhos na bibliografia). Embora a maioria destes trabalhos estivesse direcionada para potencializar o desenvolvimento cognitivo, os ensinamentos que deles extraímos nos são de enorme utilidade no momento de abordar o desenvolvimento emocional, cujo funcionamento, como assinalamos anteriormente, não se pode considerar dissociado daquele. A metodologia utilizada no trabalho que expomos baseia-se, pois, em nossos trabalhos sobre aprendizagem.

Alguns princípios gerais para a aprendizagem da resolução de conflitos

Na aprendizagem que propomos, não se trata de fornecer aos(às) estudantes fórmulas cuja aplicação lhes permita resolver os conflitos de maneira satisfatória, pela simples razão de que estas fórmulas não existem. Cada situação é diferente e os sentimentos das pessoas nela envolvidas podem ser muito distintos, mas isso não significa que, diante de uma grande variedade de sentimentos e situações, não seja possível estabelecer algumas constantes gerais de comportamento que conduzam a situações satisfatórias, ou descobrir as formas de comportamento que não devem jamais ser usadas porque são inadequadas em todos os casos.

Os(as) alunos(as), inclusive os de menor idade, já têm uma importante experiência sobre as reações que seus atos desencadeiam nas demais pessoas. Desde os primeiros meses de vida, meninas e meninos sabem como chamar a atenção das pessoas adultas e aprendem rapidamente estratégias de comportamento que os levam a conseguir o que desejam. Estudos psicológicos sobre bebês, realizados com técnicas extraídas da etologia, evidenciam como, antes de aprender a falar, meninos e meninas utilizam determinados gestos dirigidos para outros seres de sua idade. Estes gestos têm a finalidade de conseguir deles o comportamento desejado como, por exemplo, estender a mão para pedir um brinquedo ou abaixar a cabeça em sinal de submissão para impedir que os agridam. Estes gestos costumam ter êxito na maioria dos casos (ver M. Stamback e outros, 1984). Muitos destes conhecimentos, que são abundantes no início da escolaridade, permanecem no inconsciente ou pré-consciente na maioria dos casos, e é necessário fazê-los ter consciência do que já sabem no nível da ação.

Dado que os conflitos interpessoais estão sempre acompanhados de sentimentos que constituem, em muitas ocasiões, a própria causa dos conflitos (ofensas, insultos, falta de valorização, medo etc.), consideramos que a aprendizagem da resolução de conflitos deve ser precedida ou acompanhada de uma aprendizagem emocional que dotará os(as) alunos(as) dos conhecimentos imprescindíveis sobre seu próprio comportamento emocional e sobre o das demais pessoas. Por esta razão, nossa proposta metodológica para os(as) alunos(as) de Ensino Fundamental inicia-se com uma aprendizagem dos sentimentos e das emoções que os(as) introduzirá facilmente na temática que nos propomos abordar. Depois destas aprendizagens, iniciaremos o tratamento dos conflitos. No Ensino Médio, por sua vez, trataremos os aspectos conjuntamente.

Em nenhum caso se pretende buscar soluções imediatas que ponham fim, o mais rapidamente possível, a um dado conflito. O que nos propomos é formar estudantes que saibam resolver os conflitos que lhes irão sendo apresentados, de maneira cada vez mais eficaz. Para isso, pode-se começar ensinando — mediante uma série de exercícios que descreveremos mais adiante — a analisar uma série de conflitos fictícios selecionados dentre os que costumam apresentar-se mais freqüentemente nas diferentes idades de que trataremos. A finalidade é habituá-los(las) a refletir de maneira adequada sobre conflitos, sem que exista a forte implicação emocional que costuma ocorrer nos conflitos reais, com a idéia de facilitar tal reflexão quando estiver presente a carga emocional que acompanha os conflitos reais e que os torna mais complexos.

Analisar um problema significa diferenciar os elementos que o compõem como, por exemplo, causas e manifestações. Para isso é necessário aprender a indagar sobre as origens do problema e não se concentrar em sua manifestação imediata. Significa também considerar os sentimentos das pessoas envolvidas. Uma vez realizadas estas aprendizagens, ajudar-se-á os(as) alunos(as) a analisar seus próprios problemas e a descobrir quais são as melhores soluções, tendo sempre presente que o(a) professor(a) não deve apresentá-los, porque isso inibe a autonomia e a necessidade de refletir dos(as) alunos(as). Depois de terem proposto diversas soluções, serão estimulados a analisar as conseqüências de cada uma das propostas, para antecipar o resultado. Esta análise implica diferenciar as boas soluções — as que levam a um resultado justo e satisfatório para as partes envolvidas — das ruins e tomar consciência de por que não são boas.

Será preciso ter sempre presente que os conflitos não são situações excepcionais, mas fazem parte da vida cotidiana e devem ser vistos com naturalidade. Da mesma maneira que ocorre com qualquer outro problema — por exemplo, aquele que um cientista em Física pode apresentar —, se é resolvido de maneira satisfatória, o indivíduo terá realizado um importante progresso; terá aprendido uma forma de agir que o fará avançar e lhe dotará de novos recursos de ação. Com isso a personalidade, em seu conjunto, será reforçada.

O papel do(da) professor(a)

Uma tendência natural de todo bom profissional da educação é a de facilitar para seus alunos e alunas o caminho para a aprendizagem do que deseja que adquiram. Entretanto, esta facilitação, em muitas ocasiões, pode conduzir-nos justamente para o lado oposto ao que queremos chegar, porque, se tentamos facilitar demais as coisas, poupamos os(as) alunos(as) do esforço necessário que conduz a uma nova aquisição e os(as) impedimos de experimentar a legítima satisfação de tê-lo conseguido por seus próprios meios. Isto é particularmente certo quando o que queremos que aprendam não é o fim, mas o caminho para chegar a ele. Tal é o caso das aprendizagens de que tratamos aqui. Como que cada conflito é diferente, não podemos ensinar uma infinita casuística de situações conflituosas, porque aquelas com que se depararão serão sempre novas, ou, pelo menos, assim parece para quem as experimenta. É imprescindível, pois, que os(as) estudantes aprendam a descobrir aquelas formas de comportamento que lhes pareçam mais eficazes segundo sua própria maneira de ser, já que qualquer conflito admite soluções muito diversas. As melhores serão aquelas que, sendo eqüitativas, produzam maior satisfação às pessoas em conflito, com o mínimo de aborrecimento para todas elas. Isso não implica, contudo, que todas fiquem completamente satisfeitas — isto costuma ser difícil —, mas que não se produzam situações que favoreçam de maneira injusta algumas pessoas em detrimento de outras.

Se, como dissemos, o trabalho do(da) professor(a) não consiste em dar soluções nem em propor a "boa resposta" nas diferentes situações de aprendizagem, qual deve ser seu papel? Fundamentalmente o de fazer observações para que os(as) alunos(as):

- Encontrem soluções próprias.
- Analisem cada uma das soluções apresentadas para antecipar suas conseqüências e vejam se conduzem ao resultado desejado.

- Investiguem se existe relação entre as causas do problema e as soluções propostas.
- Considerem as causas do conflito no momento de apresentar soluções, levando em conta que uma boa solução é a que cria as condições necessárias para que o conflito não volte a acontecer.
- Tenham em mente que as soluções devem ser justas. Se não o são, criam mal-estar em alguma das partes, e o conflito tende a se reproduzir, da mesma forma ou de formas diferentes.
- Percebam que um mesmo conflito pode ter mais de uma solução e que a boa solução depende das circunstâncias e das pessoas que estejam envolvidas.
- Criem coletivamente normas e regras que evitem cair de novo nos mesmos conflitos e avaliem sistemas para que se cumpram as normas acordadas.

Deve também procurar fazer com que todos(as) os(as) alunos(as), sem exceção, participem da resolução de cada conflito, incentivando quem se retrai ou se inibe a intervir, já que a finalidade não é a resolução de um conflito concreto, mas sim a aprendizagem da resolução de conflitos, e isso requer uma experiência que só se adquire implicando-se cognitiva e afetivamente.

Nossa proposta não é exclusivamente resolver determinados conflitos que se estabelecem na escola, mas formar os(as) alunos(as), desenvolver sua personalidade, fazê-los(as) conscientes de suas ações e das conseqüências que acarretam, conseguir que aprendam a conhecer melhor a si mesmos(as) e às demais pessoas, fomentar a cooperação, a autoconfiança e a confiança em suas companheiras e seus companheiros, com base no conhecimento da forma de agir de cada pessoa, e a beneficiar-se das conseqüências que estes conhecimentos lhes proporcionam. A realização destes objetivos leva a formas de convivência mais satisfatórias e à melhoria da qualidade de vida das pessoas, qualidade de vida que não se baseia no consumo, e sim em gerir adequadamente os recursos mentais... intelectuais e emocionais — para alcançar uma convivência humana muito mais satisfatória.

Cada aluna e cada aluno prepara-se, assim, para autogerir-se emocionalmente e também para contribuir com a autogestão das demais pessoas de seu convívio. Por isso, quando a aprendizagem chega a um nível em que se considera que os(as) alunos(as) já estão preparados(as), são treinados(as) para ajudar a solucionar, em forma de rodízio, os conflitos de outras pessoas e analisar suas conseqüências.

Nos exercícios do capítulo seguinte, ilustramos com exemplos práticos os princípios que anunciamos, relacionados com as intervenções do(da) professor(a). Sua função primordial poderia resumir-se em duas atitudes.

A primeira consiste em pensar que não é a professora ou o professor quem deve resolver os conflitos, mas sim as pessoas que os provocaram (da mesma maneira que não é o(a) professor(a) quem deve resolver os problemas de Matemática). Tampouco se deve esperar, sobretudo no início, que todos os conflitos se resolvam da melhor maneira possível —, ainda que este seja o objetivo, já que os erros são necessários em qualquer aprendizagem que não seja mecânica, e sim construtiva. Às vezes é necessário deixar que os(as) alunos(as) cometam erros. É errando que mais se aprende, desde que analisemos o porquê de as coisas não terem funcionado como pretendíamos.

A segunda atitude está relacionada com a primeira e consiste em frear a tendência intervencionista que nos caracteriza como profissionais de ensino. Esta atitude deve ser substituída por outra de escuta atenta. É necessário passar da atitude de ensinar para a de observar, para aprender as formas de pensar e sentir dos(das) alunos(as). É muito interessante deixá-los(as) falar livremente, observando seus comportamentos sem intervir, para que expressem espontaneamente suas idéias e opiniões. Ao fazê-lo, descobriremos uma grande riqueza imaginativa e um grande envolvimento emocional, que nos mostrarão a face desconhecida dos(das) estudantes e nos indicarão o caminho a seguir em nossas intervenções.

Sentimentos, emoções e disciplinas curriculares

No Ensino Fundamental, as disciplinas curriculares não devem ser tratadas como se constituíssem uma finalidade em si mesmas. Assim, por exemplo, não se ensina Física para que os(as) estudantes se tornem físicos(as), nem História para que sejam historiadores(as). A finalidade destas disciplinas é, neste nível educacional, servir como instrumento para atingir outros objetivos como, por exemplo, adquirir cultura geral, desenvolver certas formas de pensar, dotar os(as) alunos(as) de instrumentos de raciocínio e de espírito crítico, proporcionar-lhes conhecimentos que serão de utilidade para a vida e que possam aplicar em situações reais etc. Ou seja, as disciplinas curriculares são instrumentos úteis para conseguir determinados objetivos, mas não são em si mesmas objetivos. Daí a dificuldade que os(as) alunos(as) experimentam para dotá-las de um significado que lhes confira utilidade fora do âmbito das instituições de ensino. Esta dificuldade é facilmente constatável se lhes perguntamos, por exemplo, para que serve qualquer aprendizado de Matemática ou de Física que tenha realizado recentemente (ver Moreno Marimon, 1983). Em muitas ocasiões, fazendo um ato de fé, os(as) estudantes aceitam que estes conhecimentos lhe serão úteis em um futuro, ainda que no presente não saibam para que servem. Um aluno de Ensino Médio, ao ser questionado sobre a utilidade de seus conhecimentos matemáticos, dizia-nos: "Não sei para que servem, mas para algo devem servir, porque, senão, não nos ensinariam".

Se, em lugar disto, os conteúdos das disciplinas curriculares são apresentados como instrumentos para alcançar um fim, em cuja consecução os(as) alunos(as) estejam envolvidos, as dúvidas sobre sua utilidade desaparecem e lhes é atribuída, claramente, uma finalidade. Baseando-nos no princípio de que um conhecimento deve ter uma utilidade evidente para ser motivador, é conveniente utilizar os conteúdos das disciplinas curriculares como instrumentos para trabalhar a temática dos sentimentos e dos conflitos (para uma visão detalhada de nossa proposta de integração de aprendizagem emocional e de resolução de conflitos no currículo do Ensino Fundamental, ver Moreno Marimon, Sastre, Busquets, Leal, De Miguel Vallejo, 1994).

Segunda Parte

Aprendizagem Emocional e Resolução de Conflitos no Ensino Fundamental

Genoveva Sastre
Montserrat Moreno
María Jesús de Miguel

3

Os Sentimentos

A alegria: manifestações e causas

Atividade nº 1: Experiências afetivas relacionadas com a alegria. Sua expressão oral e gestual

Objetivos

- Detectar a capacidade inicial que têm as alunas e os alunos para tomar consciência de seus próprios estados de ânimo.
- Evocar e expressar diferentes situações nas quais se tenha experimentado alegria.
- Usar a linguagem oral e a gestual como instrumentos que ajudam a tomar consciência das manifestações próprias da alegria e a comunicá-las.
- Descentrar-se do próprio ponto de vista e tomar consciência de que pessoas diferentes manifestam um mesmo sentimento de diferentes maneiras.

INDICAÇÕES METODOLÓGICAS

Para motivar os(as) alunos(as), convém fazer com que evoquem situações nas quais tenham experimentado, pessoalmente, um determinado estado de ânimo, como, por exemplo, a alegria.

Pode-se apresentar o tema dirigindo a toda a classe perguntas que ajudem a reviver situações associadas ao estado de ânimo que se está trabalhando e a considerar suas manifestações mais freqüentes. As que apresentamos a seguir podem servir de modelo:

- Como se pode saber que alguém está alegre?
- Como se nota?
- O que você faz quando está alegre?
- Nota-se a alegria no rosto? Você faz alguma coisa com o resto do corpo: com os braços, com as mãos, com as pernas, com o tronco?
- Quais gestos uma pessoa costuma fazer quando está alegre?

Se os alunos e alunas se limitam a fazer referências ao riso como única manifestação da alegria, pode-se pedir que reproduzam as expressões do rosto e os gestos corporais próprios de tal estado de ânimo. Cada representação será seguida da descrição oral de tais manifestações. É importante que toda a classe participe desta troca de conhecimentos.

Sabe-se que é mais fácil reproduzir os gestos que expressam um sentimento do que tomar consciência dos movimentos realizados. A conscientização ajudará os(as) alunos(as) a fixarem-se nas expressões corporais que indicam estados de ânimo e, em conseqüência, facilitará a detecção nas demais pessoas; também permitirá que os desenhos realizados posteriormente sejam mais completos. Finalmente, a atividade oferecerá uma informação ampla sobre o conhecimento que possuem sobre o tema.

Atividade nº 2: Diálogo sobre as causas da alegria

Objetivos

- Aprender a refletir e a dialogar sobre os próprios sentimentos.
- Iniciar-se na busca e na compreensão das causas de um sentimento.
- Tomar consciência de que um mesmo sentimento pode ser originado por motivos diferentes.

Indicações metodológicas

Apoiando-se em perguntas como as que apresentamos a seguir, alunos e alunas são convidados a explicar as coisas ou situações que lhes produzem alegria.

- Por que às vezes estão alegres?
- Recordam-se da última vez em que se sentiram alegres?
- O que os fez sentirem-se alegres?
- Quais situações os deixam de bom humor e os fazem ficar mais alegres?

É importante favorecer a livre expressão dos sentimentos e recolher todas as idéias sem corrigir nem retificar suas explicações.

Atividade nº 3: Expressão gráfica da alegria e das causas que a originam. Desenho e escrita

Objetivos

- Aprofundar a análise dos próprios sentimentos, aprendendo a diferenciar e coordenar os distintos elementos que os configuram.
- Usar o desenho e a escrita como instrumentos para aprender a diferenciar e coordenar o sentimento com suas manifestações e suas causas.

Indicações metodológicas

Este exercício tem por objetivo simbolizar graficamente as causas de um sentimento e suas manifestações para, posteriormente, analisá-las.

Entrega-se, para cada pessoa da classe, uma folha de papel e pede-se que a divida em duas partes iguais. Com estudantes de menor idade, utilizam-se o desenho e a escrita como meios de comunicação; nas séries superiores, pode-se combinar ambos os instrumentos ou usar apenas a escrita.

a) Para Educação Infantil e primeiras séries do Ensino Fundamental

Pede-se que desenhem, na parte direita da folha, uma menina ou um menino alegre e que representem, na parte esquerda, o motivo da alegria de tal personagem. Deve-se insistir na necessidade de que o desenho da direita (manifestações) expresse claramente a alegria e que o desenho da esquerda (causa) mostre perfeitamente por que o personagem está alegre. Solicite-lhes que o façam de tal maneira que uma pessoa que olhe o desenho possa saber, sem necessidade de ajuda, o que se explica em cada uma das partes. Os desenhos serão completados com explicações escritas.

b) Para as últimas séries do Ensino Fundamental

Solicite-lhes que expliquem, em uma das partes da folha, como se nota que uma pessoa está alegre, que indícios nos permitem perceber seu estado de ânimo; na outra parte, e da forma mais detalhada possível, por que está alegre, as causas de sua alegria.

As dificuldades para desenhar e explicar por escrito, diferenciando as manifestações e as causas de um estado de ânimo, são freqüentes entre alunos(as) do Ensino Fundamental.

É comum, por exemplo, que as meninas e os meninos de menos idade pensem que, ao desenhar uma menina sorrindo, não precisam desenhar que seu papai lhe comprou uma bola, supondo que isto já se sabe pelo sorriso da menina. Ou seja, atribuem ao desenho do sorriso a representação de fatos que não desenharam.

Entre estudantes de mais idade, são abundantes as produções escritas nas quais aparecem misturadas as manifestações e as causas do estado de ânimo. Os desenhos e os textos escritos em que causas e manifestações formam um todo indiferenciado são um exemplo das dificuldades que os(as) alunos(as) devem superar para poder simbolizar adequadamente ambos os aspectos.

Atividade nº 4: Comentário coletivo dos trabalhos realizados

Objetivos

- Analisar a variedade de manifestações por meio das quais se pode expressar a alegria.
- Tomar consciência da existência das múltiplas causas que podem provocar a alegria.
- Diferenciar as causas e as manifestações de um sentimento.

Indicações metodológicas

4.1 Regulação coletiva

Começa-se a comentar os trabalhos realizados, tanto do ponto de vista literário ou plástico como do ponto de vista da mensagem que cada produção deveria expressar, de acordo com as indicações dadas. O processo pode desenvolver-se como detalhamos a seguir.

Selecionam-se algumas redações e alguns desenhos nos quais estejam claramente diferenciadas as manifestações das causas e outros que apresentem indiferenciações. Lêem-se em voz alta — ou mostram-se, no caso dos desenhos — e o grupo analisa se estão de acordo ou não com as indicações feitas no começo do exercício e dá idéias para melhorar as produções que não tenham alcançado o objetivo proposto.

Trata-se de fazer com que cada pessoa tome consciência de seus erros e, com as contribuições do grupo e os elementos de análise introduzidos pelo(a) professor(a), explicite maneiras de corrigi-los.

Tomemos como exemplo a produção de Alícia e analisemos seus desenhos*.

À esquerda, na parte correspondente às causas, aparece um embrulho envolto com um laço, que representa um presente. É evidente que o presente constitui o motivo da alegria. Contudo, o que acontece na parte correspondente às manifestações? Não se sabe se desenhou uma pessoa alegre ou triste. Sua expressão é neutra, não demonstra nenhuma emoção.

* As gravuras que fazem parte deste livro são apresentadas como no texto original, em espanhol. Por conterem detalhes lingüísticos da escrita infantil não passíveis de uma tradução adequada, optamos por publicá-las dessa maneira.

Neste caso, nossas perguntas serão encaminhadas para que Alícia e o grupo ajustem sua tarefa à proposta feita. Podem adotar a seguinte forma:

- O que lhes foi pedido que explicassem?
- No desenho de Alícia se vê que a menina está alegre? Por quê?
- O que Alícia teria de fazer para que se entendesse bem que a pessoa desenhada está alegre?

Vejamos a folha de Alberto.

À esquerda, na parte correspondente às causas, aparece desenhado um menino, de costas, brincando com um computador. Embaixo, Alberto escreve: "Está alegre porque gosta de brincar com o computador". A causa da alegria está clara. O que acontece na parte direita da folha, a correspondente às manifestações? Aparece o mesmo personagem, agora de frente e evidentemente contente — ri, levanta as sobrancelhas, levanta os braços e diz "bem!"—, mas, a seu lado, aparece de novo o computador, a causa da alegria. Embaixo do desenho escreve: "Ri, levanta os braços, levanta as sobrancelhas e diz "bem" *porque está brincando com o computador*". A causa do sentimento não está suficientemente diferenciada de suas manifestações. As perguntas, neste caso, farão com que Alberto se dê conta de que o motivo da alegria só tem de aparecer em uma das partes da folha.

4.2 Autocorreção

Convém que os(as) alunos(as) aprendam a valorizar as contribuições do grupo, a ser críticos(as) com seu trabalho pessoal e a corrigir os próprios erros. Por isso, depois do debate coletivo, dá-se, para quem necessitar, um tempo para retificar ou completar sua produção em função das avaliações surgidas no grupo e das indicações recebidas no tópico anterior.

A tristeza: manifestações e causas

Atividade nº 5: Expressão oral e mímica da tristeza

Objetivos

- Enriquecer a capacidade de expressar sentimentos próprios.
- Aprofundar o conhecimento dos sentimentos das outras pessoas.
- Consolidar os conhecimentos adquiridos.

Indicações metodológicas

Depois dos exercícios realizados, com a alegria como tema, é conveniente trabalhar o sentimento oposto, a tristeza. Com isso, favorecemos a composição entre ambos os estados de ânimo e o aprendizado da neutralização dos sentimentos negativos a partir do que foi aprendido sobre sentimentos opostos.

Inicia-se a atividade apresentando uma série de perguntas similares às da atividade nº 1:

- Como se pode saber que uma pessoa está triste?
- O que vocês fazem quando estão tristes? Como se nota que estão tristes?
- Vocês fazem alguma coisa com o rosto, os braços e as pernas? E com o tronco?

Para facilitar as respostas, os(as) alunos(as) são convidados(as) a dramatizar estados de tristeza. A experimentação com o próprio corpo e a conseguinte verbalização permitirão que tomem consciência de toda uma série de conhecimentos, referentes ao sentimento em questão, que não tenham sido explicitados até o momento, apesar de fazerem parte de suas experiências cotidianas.

a) Para Educação Infantil e primeiras séries do Ensino Fundamental

Para as primeiras séries, pode ser útil confeccionar, com papel ou cartolina, um boneco articulado com mobilidade de braços, pernas e cabeça. Com ele serão encenados todos os gestos de tristeza possíveis (cobrir o rosto com as mãos, abaixar a cabeça, deixar os braços caídos, esconder a cabeça entre os braços etc.), contrapondo-os aos da alegria (levantar os braços, abri-los, pular, mover a cabeça para os lados etc.).

b) Para as últimas séries do Ensino Fundamental

Com as últimas séries, é mais adequado trabalhar a partir da coleta de material gráfico. Para isso se organiza a classe em grupos e se pede, a cada um, que traga material gráfico — fotografias recortadas de revistas e jornais, desenhos, vinhetas de gibi etc. —

em que apareçam pessoas ou personagens que manifestem tristeza. Uma vez coletado o material, devem analisar e enumerar todos os gestos e as expressões de tristeza das imagens.

Em seguida, cada grupo organizará uma montagem plástica original, sobre uma cartolina, e escreverá, ao lado de cada fotografia ou desenho, as expressões e os gestos que permitem descobrir o estado de ânimo de cada personagem.

Atividade nº 6: Expressão gráfica da tristeza e das causas que a originam. Desenho e escrita

Objetivos

- Generalizar a aprendizagem realizada durante o desenvolvimento da atividade nº 3 e aplicá-las a um sentimento de significado contrário: a tristeza.
- Exercitar a diferenciação entre as causas do sentimento e suas manifestações.
- Aprofundar o conhecimento e a diferenciação de sentimentos para, mais adiante, aprender a atenuar ou compensar os negativos.

Indicações metodológicas

Apesar das semelhanças com a atividade nº 3, esta não é uma simples réplica daquela, já que busca consolidar os conhecimentos adquiridos até o momento, bem como generalizá-las para um novo sentimento, desta vez negativo. Pretende, além disso, que os(as) alunos(as) superem, neste novo contexto, as dificuldades que ainda sentiam ao finalizar a atividade nº 4. Por esta razão, eles(elas) são incentivados(as), de novo, a prestar especial atenção às diferenças entre os sentimentos, as formas de expressá-los e suas causas.

Entrega-se a cada pessoa uma folha de papel, que deve ser dividida em duas partes iguais. Para os(as) alunos(as) das primeiras séries, pede-se que desenhem, em uma das partes, uma menina ou um menino que esteja triste e, na outra, as causas de sua tristeza, completando os desenhos com explicações escritas correspondentes. Com estudantes, de mais idade, podem-se combinar os dois instrumentos — desenho e escrita — ou, se se acredita conveniente, trabalhar apenas com a escrita.

Como na atividade nº 3, insiste-se na necessidade de que, em uma das partes, expressem muito bem as manifestações e, na outra, suas causas.

Atividade nº 7: Comentário coletivo dos trabalhos realizados

Objetivos

- Tomar consciência de que pessoas diferentes expressam a tristeza de diferentes maneiras.
- Dar-se conta de que na origem de um mesmo sentimento pode haver múltiplas causas.
- Ser capaz de imaginar as possíveis causas de um sentimento.
- Tomar consciência de que as formas de manifestar um sentimento e suas causas são independentes do sexo das pessoas.

Indicações metodológicas

7.1 *Regulação coletiva*

A atividade desenvolve-se seguindo os mesmos critérios metodológicos da nº 4.

É importante estimular a participação de toda a classe, posto que a análise das produções alheias facilita a tomada de consciência dos próprios erros e, inversamente, porque a consciência dos próprios acertos e erros permite uma avaliação mais profunda das produções das companheiras e dos companheiros.

7.2 *Autocorreção*

Como no caso da alegria, as análises e as valorações do grupo atuarão como elemento regulador que permitirá variar, ampliar, completar ou corrigir as produções individuais.

7.3 *Agrupamento das situações que geram tristeza. Reflexões sobre suas causas*

a) Para Educação Infantil e primeiras séries do Ensino Fundamental

A anotação, na lousa e em um papel — para sua utilização na atividade nº13 —, de todos os motivos de tristeza explicitados na atividade anterior constitui o ponto de partida para uma reflexão que ajudará a dissociar o sexo das pessoas das causas de sua tristeza.

Explica-se que, conforme o(a) professor(a) vai dizendo os motivos que aparecem na lousa, as pessoas cujo desenho esteja centrado nele, terão de se agrupar em determinado lugar da classe.

Formados todos os grupos, pede-se aos membros de cada um que comprovem e anotem em um papel quantas meninas e quantos meninos o compõem.

Realizada a quantificação, cada grupo informa ao resto da classe o número de meninas e meninos que o constituem e a razão pela qual estão juntos — o motivo da tristeza em seus desenhos. Finalizada a troca, são convidados a considerar se disseram algum motivo de tristeza que possa qualificar-se como exclusivo de um ou de outro sexo. A reflexão pode ser facilitada mediante perguntas relacionadas com as causas assinaladas. Por exemplo:

- Há meninas que se entristecem quando a professora ou o professor as repreende. Os meninos também ficam tristes quando são repreendidos?
- Alguns meninos ficam tristes quando um amigo seu não os deixa brincar. Há alguma menina que fica triste quando suas amigas não a deixam brincar?

Assim como ocorre com as causas, tampouco existem manifestações de tristeza que sejam exclusivas de um sexo. Para ajudá-los(as) a ter consciência deste fato, basta remetê-los(as) à realidade.

Solicite-lhes que enumerem, em voz alta e uma atrás da outra, as diferentes formas de expressar a tristeza que explicitaram na atividade nº 6. Depois de cada uma delas, devem levantar a mão todas as pessoas que, em algum momento, a tenham utilizado para expressar sua própria tristeza.

É uma ação que, sendo repetida e tendo seus resultados analisados, lhes permitirá reconhecer que meninas e meninos têm o direito de chorar, esconder o rosto entre os braços, ir a um canto e permanecer em silêncio ou abaixar a cabeça e apoiá-la nas mãos quando estão tristes. A análise pode apoiar-se em perguntas como:

- Há meninas que choram quando estão tristes. Os meninos também podem chorar quando estão tristes?
- Se um menino chora quando está triste, deixa de ser um menino?
- Há meninos que escondem o rosto entre os braços quando estão tristes. Também há meninas que escondem o rosto entre os braços quando estão tristes?

- Se uma menina esconde o rosto entre os braços quando está triste, deixa de ser uma menina?
- Uma menina pode trancar-se em seu quarto quando está triste? E um menino?

Com estas reflexões pretende-se que os(as) alunos(as) elaborem modelos de expressão de sentimentos livres de conotações de gênero.

Pode-se encerrar a atividade pedindo a cada pessoa que explique, em um papel, o resultado do agrupamento.

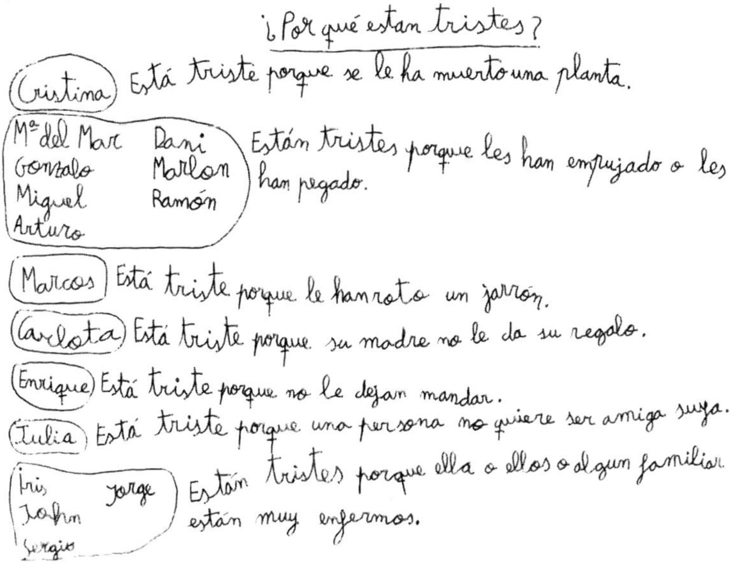
¿Por qué estan tristes?

Cristina — Está triste porque se le ha muerto una planta.

Mª del Mar, Dani, Gonzalo, Marlon, Miguel, Ramón, Arturo — Están tristes porque les han empujado o les han pegado.

Marcos — Está triste porque le han roto un jarrón.

Carlota — Está triste porque su madre no le da su regalo.

Enrique — Está triste porque no le dejan mandar.

Julia — Está triste porque una persona no quiere ser amiga suya.

Iris, Jorge, John, Sergio — Están tristes porque ella o ellos o algun familiar están muy enfermos.

b) Para as últimas séries do Ensino Fundamental

Nas séries mais avançadas, serão recolhidos os motivos de tristeza escritos nos pedaços de cartolina dos(as) estudantes, cada um acompanhado do nome da pessoa que o explicitou.

Expõem-se os pedaços de cartolina no mural ou na parede e solicita-lhes que os agrupem em função da semelhança entre os motivos de tristeza que neles aparecem. Podem ser incluídos em um mesmo grupo, por exemplo, os que fazem referência à morte, seja de um familiar ou de um animal de estimação; em outro, os que fazem referência a conflitos com amigos e amigas ou familiares; em outro, os que falam de coisas desejadas e não conseguidas; em outro, os que remetem a agressões etc.

Formados os grupos, procede-se tal como se fez com os(as) alunos(as) mais jovens. Solicita-lhes que comprovem e anotem — na lousa ou em um papel — quantas pessoas de cada sexo há em cada grupo. Realizada a quantificação, são convidados(as) a comentar se escreveram algum motivo de tristeza que possa qualificar-se como exclusivo de um ou de outro sexo.

Para facilitar a diferenciação entre os motivos de tristeza e o sexo das pessoas que os explicitam, o(a) professor(a) contará com o mesmo tipo de perguntas do tópico anterior. Da mesma maneira, será trabalhada a diferenciação entre o sexo das pessoas e a maneira como manifestam seus sentimentos.

Pode-se encerrar a atividade pedindo-lhes que registrem, em uma folha, os grupos que resultaram da classificação por motivos de tristeza.

Dos sentimentos à ação

Atividade nº 8: Debate coletivo sobre a repercussão dos sentimentos

Objetivo

- Tomar consciência da repercussão que têm os sentimentos e os estados de ânimo individuais, positivos e negativos, sobre a própria conduta e sobre as relações pessoais.

Indicações metodológicas

O(a) professor(a) abrirá o debate com uma série de perguntas simples que ajudará os(as) alunos(as) a recordar as conquistas das atividades anteriores. Sejamos ou não conscientes das causas de nossos sentimentos, estes estão vinculados aos acontecimentos que os produziram.

- Recordam por que uma pessoa pode estar alegre?
- As pessoas ficam tristes à toa ou por alguma razão?
- Recordam os motivos de tristeza de suas companheiras e seus companheiros?

Em seguida, será iniciada uma rodada de perguntas direcionadas a centrar a atenção nas conseqüências dos estados de ânimo, positivos e negativos, sobre a conduta e as relações interpessoais. Podem ser do tipo:

- O que tem vontade de fazer uma pessoa que está alegre com um grupo de pessoas?
- O que vocês fazem quando se sentem alegres, se estão com um grupo de companheiras e companheiros — na classe, no pátio, na praça do bairro?
- Como se sentem quando uma companheira ou um companheiro está alegre?
- Quando uma pessoa está triste e está com um grupo de pessoas, o que tem vontade de fazer?
- O que vocês fazem quando se sentem tristes e estão com um grupo de pessoas?
- Como se sentem quando uma companheira ou um companheiro está triste?

Atividade nº 9: Explicar a repercussão dos sentimentos na própria conduta e na das demais pessoas

Objetivo

- Desenhar e/ou explicar por escrito a repercussão do estado de ânimo de uma pessoa sobre sua conduta e sobre a conduta das demais pessoas, diferenciando-as das manifestações do estado de ânimo.

Indicações metodológicas

Organiza-se a classe em pares e a cada um são dadas duas folhas. Explica-se que um membro do par trabalhará sobre a alegria e o outro sobre a tristeza. Os(as) alunos(as) são incentivados(as) a, entre eles(elas), decidir quem tratará de cada sentimento. Uma vez decidido, cada pessoa do par retoma o desenho que fez na atividade nº 3 ou nº 6 — alegria e tristeza —, segundo o sentimento que a cada um couber trabalhar nesta nova atividade.

Depois de cada um ter revisado sua produção, são convidados(as) a imaginar seus respectivos personagens em uma situação de grupo — na classe, no pátio da escola, na praça do bairro —, com outras meninas e outros meninos, e solicita-se-lhes que representem tal situação na folha que repartiram. Deve-se adverti-los(as) da necessidade de o estado de ânimo do personagem — alegre ou triste — ficar evidente não só quanto aos gestos ou posturas corporais mostrados, mas também quanto às atividades que realiza ou deixa de realizar. A produção deverá refletir, também, a influência do estado de ânimo nas outras pessoas do grupo.

Antes de começar o trabalho individual, os membros de cada par comentarão entre si as maneiras de concretizar a tarefa pedida.

Nas primeiras séries, pede-se aos (às) estudantes que utilizem o desenho e a escrita como meios de expressão. Os(as) de séries superiores podem usar somente a escrita.

Atividade nº 10: Exposição em comum e análise das produções

Objetivo

- Relacionar os estados de ânimo com a conduta individual e as relações interpessoais.

Indicações metodológicas

Organiza-se uma exposição dos trabalhos realizados na atividade anterior. Cada pessoa deverá votar nos dois que considera que melhor expressam as conseqüências dos estados de ânimo sobre a conduta individual e as relações interpessoais. Um dos votos será para uma produção referente à tristeza; o outro, para uma produção referente à alegria.

Realizada a contagem de votos, serão selecionados os dois trabalhos mais votados. Os desenhos serão mostrados e os textos serão lidos em voz alta, ressaltando como o estado de ânimo — positivo ou negativo — de uma pessoa influi sobre sua atitude, sua conduta e suas relações interpessoais. Assim, por exemplo, uma pessoa alegre aparecerá brincando no pátio e estando bem com as amigas e os amigos; ou na classe, comentando o trabalho com suas companheiras e seus companheiros e trocando idéias para solucionar os problemas. Uma pessoa triste, ao contrário, está sozinha no pátio, pensativa, sem ânimo para buscar companhia, olhando, sem intervir, como se divertem as amigas e os amigos; ou na classe, ausente, sem vontade de trabalhar e sem forças para enfrentar os problemas que interessam a outras pessoas e em torno dos quais discutem com entusiasmo. São estados de ânimo que, por sua vez, não deixam os amigos e as amigas indiferentes.

Como ajudar na tristeza

Atividade nº 11: Debate coletivo sobre as formas de intervir em um sentimento negativo, próprio ou de outras pessoas*

Objetivos

- Relacionar as formas de ajudar uma pessoa que está triste com as causas de sua tristeza.
- Avaliar a eficácia de diversos recursos pensados para combater um sentimento negativo e estabelecer uma ordem de preferência entre eles.
- Tomar consciência de que as preferências individuais podem ser muito diferentes.

Indicações metodológicas

Se o(a) professor(a) considerar importante, podem-se utilizar dois grupos de desenhos realizados por meninos e meninas do primeiro ciclo do Ensino Fundamental, que expressam como motivo de tristeza a separação (ver anexo: págs. 159 a 160 — folhas números 1, 2, 3 e 4).

* Esta é uma atividade indicada para estudantes das primeiras séries. Nas séries mais avançadas, passa-se diretamente para a atividade nº 12.

Todas as formas de ajuda oferecidas na folha nº 3 ilustram a intenção de manter presente a relação. Ao contrário, os desenhos da folha nº 4 expressam a busca de compensações afetivas, independentemente da causa da tristeza.

Explica-se aos(às) alunos(as) que meninas e meninos de outras escolas estudaram maneiras de ajudar uma menina que está triste porque sua mãe foi embora (folha nº 1) e um menino que está triste porque sua mamãe foi embora (folha nº 2). Ao mostrar os desenhos das folhas 3 e 4, deve-se indicar as diferentes formas que encontraram para ajudá-los(as).

Devem-se descrever os desenhos coletivamente, comentar seu conteúdo, avaliar a eficácia das maneiras de ajudar que cada um representa e abrir um debate sobre diferentes formas de compensar a tristeza e sua relação com as causas que a geram.

Convém tratar os desenhos um a um, ajudando os(as) alunos(as) a avaliar os prós e os contras de cada uma das opções. O diálogo pode ser facilitado mediante perguntas do tipo:

- Se uma menina está triste porque sua amiga foi embora, vocês acham que é uma boa idéia, para que não fique tão triste, seguir sua amiga em um carro? Por quê?
- Se a menina vai atrás de sua amiga porque não quer separar-se dela, o que acontecerá quando seu pai e sua mãe descobrirem que não voltou para casa?
- E ela? Ficará contente quando chegar a noite e não estiver em sua casa?

O mesmo tratamento será aplicado aos outros desenhos:

- Se a menina decide escrever uma carta para sua amiga, o que pensará enquanto escreve?
- O que colocará na carta para sua amiga?

- Continuará triste quando acabar de escrevê-la?
- E sua amiga, o que pensará quando receber a carta? Ficará contente?
- É uma boa idéia escrever uma carta para alguém que está distante, para não ficar tão triste?
- E falar com ela por telefone, é uma boa idéia para não ficar triste?
- Se sua amiga lhe dá uma foto, isso pode ajudá-la a não ficar tão triste? Por quê?

É conveniente favorecer a livre expressão de idéias e emoções por parte dos(das) estudantes e, ao mesmo tempo, ajudá-los(as) a centrar a análise na relação entre os motivos que desencadearam a tristeza e as formas de aliviá-la.

Finalizado o debate, cada aluno(a) recebe a folha nº 3 para recortar as quatro formas de ajuda que aparecem e ordená-las segundo as considerem mais ou menos adequadas para ajudar a menina triste da folha nº 1. Estabelecidas as preferências individuais, cada pessoa colocará em ordem, em uma folha, as quatro maneiras de intervir sobre o sentimento. O valor dos algarismos ordinais indicará o grau de eficácia que concede a cada uma.

Pode-se encerrar a atividade pedindo-lhes que pintem os desenhos, assinalando a necessidade de manter constantes os traços que permitem identificar cada personagem — cor do cabelo, vestido etc.

Na sessão seguinte, repete-se o mesmo processo com as folhas 2 e 4. Como no caso anterior, o debate pode ser facilitado com perguntas que ajudem a avaliar as vantagens e desvantagens de cada proposta:

- Se um menino está triste porque sua mãe foi embora e lhe dão um doce, ficará alegre? Por quê?
- Depois que o menino comer um pedaço de doce, voltará a ficar triste porque sua mãe foi embora ou já não estará tão triste?
- Levar o menino que está triste para passear é uma boa idéia para que fique menos triste? Por quê?
- Se uma amiga sua o acompanhar até a sua casa, isto o ajudará a não ficar tão triste? Por quê?
- O que pode fazer em sua casa, com sua amiga, para não ficar tão triste quando se lembrar de sua mãe?
- É boa idéia fazer uma festa para alguém que está triste porque sua mãe foi embora? Por quê?

Posteriormente, será pedido para cada pessoa se colocar no lugar do menino triste e pensar quais ações, dentre as propostas na folha nº 4, considera as mais adequadas para atenuar sua suposta tristeza. Desta maneira se favorece o desenvolvimento da autonomia diante dos estados de ânimo. Os(as) alunos(as) só aprendem a buscar maneiras de ajudar outras pessoas, quando estas sofrem as conseqüências de um sentimento negativo, mas também desenvolvem a capacidade de agir de maneira adequada quando são, elas e eles mesmos, protagonistas do sentimento em questão.

Atividade nº 12: Imaginar e explicar diferentes formas de ajuda

Objetivo

- Desenvolver a capacidade de imaginar e explicar — desenhando e/ou escrevendo — diferentes maneiras de agir sobre um sentimento negativo, próprio ou das outras pessoas.

Indicações metodológicas

Os(as) alunos(as) repassam as produções realizadas na atividade nº 6 (desenho das manifestações e das causas da tristeza), fixando-se na causa de tristeza que atribuíram a sua personagem.

São incentivados(as) a identificar-se com ela e a imaginar três maneiras diferentes de aliviar sua tristeza. A seguir, cada pessoa recebe uma folha para dividir em três partes e desenhar ou escrever suas três idéias.

Se as crianças de menor idade tiverem dificuldades para encontrar três maneiras diferentes de agir diante do sentimento negativo, sugere-se que busquem duas.

Os sentimentos das pessoas adultas

Atividade nº 13: Análise coletiva das diferentes formas de ajuda e sua relação com as causas do sentimento

Objetivos

- Observar a existência de diferentes estratégias relacionais aplicadas em uma mesma situação.
- Relacionar as formas de compensar ou eliminar um sentimento negativo com as causas que o geram.

Indicações metodológicas

13.1 Exposição coletiva por grupos

a) Para Educação Infantil e primeiras séries do Ensino Fundamental

Inicia-se a exposição coletiva, na qual cada pessoa explica por que seu personagem estava triste e, pelo menos, uma das maneiras que encontrou para aliviar sua tristeza. Para facilitar a compreensão das propostas, podem-se realizar dramatizações improvisadas de algumas das situações explicadas.

Cada idéia exposta é analisada pelo conjunto da classe, levando-se em conta sua relação com a causa da tristeza correspondente e sua eficácia para compensá-la ou eliminá-la.

É comum que os(as) estudantes proponham atenuar os sentimentos negativos oferecendo presentes, de maneira indiscriminada, à pessoa que sofre. Apesar de se tratar de um recurso bastante freqüente, inclusive entre alguns adultos, estamos falando de uma forma muito pouco adequada de compensar tais sentimentos, já que não tenta incidir sobre as causas nem modificá-las e, ademais, fomenta o consumismo infantil.

O objetivo, diante de condutas deste tipo, é que tomem consciência de que não existe relação entre a causa do sentimento e os meios propostos para atenuá-lo. Devem conseguir diferenciar, entre as ações possíveis, as que tentam compensar as causas — por exemplo, telefonar para a pessoa que está distante quando não é possível estar com ela, tentar consertar o brinquedo que se quebrou e do qual gostávamos muito — daquelas outras que não têm relação com as causas — por exemplo, ganhar doces quando está triste porque o pai viajou, olhar os desenhos animados quando está triste porque o brinquedo preferido quebrou. Embora estas atividades possam ajudar a distrair a pessoa triste em alguns casos e, portanto, ser úteis, não devem constituir uma norma, já que não incidem sobre os motivos e, em conseqüência, não modificam a situação e são pouco duradouras.

Pode-se facilitar a análise com perguntas como:

- Se alguém está triste porque o pai viajou, e a mãe lhe compra doces, sentirá menos falta do pai? Ficará menos triste quando comer os doces? O que acontecerá quando eles acabarem?

Deve-se ir adequando as perguntas às respostas que os(as) alunos(as) vão apresentando, sem perder de vista o objetivo: ajudá-los(as) a avaliar a eficácia das formas de intervenção por sua capacidade de incidir sobre as causas do sentimento.

As contribuições do grupo servirão para que cada pessoa complete, enriqueça ou retifique, caso necessário, sua produção.

É útil repetir esta atividade com cada um dos sentimentos negativos que serão trabalhados posteriormente (ver atividade nº 15), para que adquiram agilidade na busca de formas de ajuda efetivas, raciocinadas e solidárias.

b) Para as últimas séries do Ensino Fundamental

Retoma-se a produção coletiva na qual apareciam os motivos de tristeza que todas as pessoas do grupo tinham atribuído a seu personagem — atividade nº 7 — e organiza-se a classe em gupos, os mesmos que haviam se formado naquele momento. Cada equipe compartilhará, portanto, o motivo de tristeza. Por exemplo, estarão em um grupo todas as pessoas que se referiram à morte de um familiar ou de um animal querido como causa da tristeza; em outro, todas as que tinham aludido a conflitos com a família ou com amigos e amigas etc.

Os componentes de cada grupo compartilharão as formas de aliviar a tristeza que tinham imaginado na atividade anterior — nº 12 — e avaliarão conjuntamente a eficácia de cada uma. Apontarão em um papel as que consideram mais adequadas, entre todas as expostas, para intervir sobre a causa de tristeza que une seus personagens.

TRISTEZA

(1) POR QUE ESTAN TRISTES

Porque se ha muerto un familiar o un animal que querian.

(2) IDEAS PARA NO ESTAR TAN TRISTE

1 Comprarte otro animal.
2 Jugar a juegos divertidos
3 Convidar a amigos y amigas.
4 No pensar mas en ello.
5 Animarle y decirle: va no te pongas triste que jugamos al pilla-pilla y pillo yo.

O fato de em um mesmo grupo haver pessoas que se referiram a um mesmo motivo de tristeza e tenham refletido sobre ele — a morte de alguém querido, por exemplo —, favorece a riqueza deste primeiro intercâmbio.

13.2 *Exposição coletiva*

À exposição dentro de cada grupo se segue uma exposição coletiva das idéias de todos os grupos. Cada um explica o motivo de tristeza sobre o qual trabalharam e as idéias que avaliaram como mais adequadas. Estas são analisadas, agora pelo conjunto da classe, levando-se em conta sua eficácia para compensar ou eliminar as causas que foram explicitadas.

Nas primeiras séries do Ensino Fundamental é comum surgir a proposta de presentear, de maneira indiscriminada, para compensar os sentimentos negativos. Mais adiante, em compensação, são abundantes as propostas nas quais se recorre à televisão ou ao computador para aliviar a tristeza. Diante de condutas como as mencionadas, os(as) alunos(as) devem se dar conta de que os meios que propõem para aliviar o sentimento não têm relação com as causas e, portanto, só têm certa eficácia em um prazo muito curto.

Como no tópico anterior, o objetivo é diferenciar as ações que tentam compensar as causas da tristeza — por exemplo, falar com a amiga que está aborrecida conosco, quando não conhecemos os motivos de seu aborrecimento; buscar outro grupo para brincar, quando o que escolhemos está completo — daquelas que não têm relação com as causas — por exemplo, assistir a um filme quando estamos tristes porque, sem saber a razão, nosso amigo não fala conosco; brincar com o computador quando estamos tristes porque não sabemos fazer um trabalho escolar.

Pode-se facilitar a análise com perguntas como:

- Se uma pessoa está triste porque suas amigas se aborreceram com ela e não sabe por quê, assistir a um filme a ajudará a solucionar seu problema?
- Quando acabar de assitir ao filme, suas amigas já não estarão aborrecidas com ela?

As contribuições do grupo, da professora ou do professor, na exposição coletiva, servirão para que cada grupo complete, enriqueça ou retifique, caso necessário, sua produção.

É conveniente repetir esta atividade com cada um dos sentimentos negativos que serão trabalhados posteriormente (ver atividade nº 15), para que os(as) alunos(as) adquiram agilidade na busca de formas de ajuda efetivas, refletidas e solidárias.

Outros sentimentos

Atividade nº 14: Conhecer os sentimentos das pessoas adultas

Objetivos

- Melhorar o conhecimento sobre a afetividade das pessoas adultas.
- Facilitar a abordagem dos sentimentos com a família.
- Descentrar os(as) alunos(as) de seus próprios sentimentos e ajudá-los(as) a considerar outros pontos de vista diferentes dos seus e das pessoas de sua faixa etária.

Indicações metodológicas

Acreditamos que, para os(as) alunos(as) incorporarem o ponto de vista das pessoas adultas no tocante a sentimentos, precisam desenvolver uma certa capacidade prévia de descentrar-se do próprio ponto de vista e considerar os pontos de vista das pessoas de sua faixa etária. Por esta razão, consideramos conveniente começar, na educação infantil, trabalhando sobre os próprios sentimentos e os das companheiras e dos companheiros para, já no Ensino Fundamental, generalizar os conhecimentos adquiridos para os sentimentos das pessoas adultas.

A finalidade desta atividade é ajudar os(as) estudantes a descentrar-se de seus estados de ânimo para contemplar os sentimentos e estados de ânimo das pessoas adultas, que costumam ser vistas como seres muito diferentes. Devem conseguir desmistificar a imagem das pessoas adultas como pessoas onipotentes que nunca estão tristes ou cansadas, e vê-las como seres que têm sentimentos e que, como elas e eles, em diversas ocasiões necessitam de ajuda e compreensão.

14.1 Busca de informação

Deve-se explicar aos(às) alunos(as) que vão tentar descobrir se as pessoas adultas ficam alegres ou tristes pelas mesmas razões, ou por outras diferentes, que as meninas e os meninos.

Com este objetivo, propõe-se que realizem uma pesquisa entre as pessoas adultas de sua família, perguntando sobre as coisas ou situações que lhes causam tristeza (uma só coisa ou situação, no caso de estudantes de menor idade), as maneiras que têm de manifestar esse sentimento e as ações que realizam para compensá-lo ou eliminá-lo em cada uma das situações explicitadas. Em casa, devem anotar a resposta das pessoas adultas para, posteriormente, apresentá-las coletivamente na classe.

14.2 *Exposição coletiva*

Em uma aula coletiva e a partir da informação trazida por todos os membros do grupo, anotam-se na lousa as causas de tristeza das pessoas adultas, de um lado, e as maneiras que têm de manifestar o sentimento, de outro lado, agrupando, em um e outro caso, as que sejam semelhantes.

Nas séries superiores, pode-se complicar o exercício, pedindo aos(às) alunos(as) que agrupem as informações recolhidas em função de variáveis como sexo ou faixa etária das pessoas entrevistadas.

Terminada a atividade, devem fazer uma comparação, ressaltando as semelhanças e assinalando as diferenças, entre sua faixa etária e a população adulta.

O exercício comparativo permitirá evidenciar que meninas, meninos e pessoas adultas podem expressar alguns sentimentos da mesma forma, e que há outras manifestações exclusivas de um ou de outro grupo. Da mesma maneira, se observará que existem situações que causam tristeza em meninas, meninos e pessoas adultas por igual e outras situações aparecem só em um dos grupos.

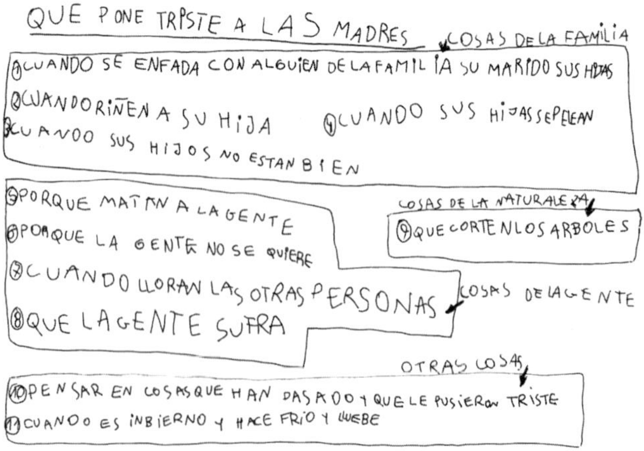

A atividade será finalizada socializando algumas das maneiras de agir das pessoas adultas quando se defrontam com um sentimento negativo. Para isso serão selecionados alguns de seus motivos de tristeza e as reações correspondentes serão explicadas. A avaliação coletiva de cada uma irá fornecer aos(às) estudantes modelos adultos adequados de reação ante os sentimentos negativos. Além disso, poderão desenvolver atitudes críticas com relação às respostas inadequadas com que as pessoas adultas tentam, em muitas ocasiões, fazer frente a situações que trazem sentimentos negativos.

Atividade nº 15: Outros sentimentos dos(das) alunos(as)

Objetivos

- Generalizar os conhecimentos anteriores para novos sentimentos, positivos e negativos: aborrecimento, preocupação, nervosismo, ciúme, medo, segurança, felicidade, coragem, tranqüilidade etc.
- Diferenciar sentimentos entre si.
- Exercitar a descoberta e a tomada de consciência das causas de diferentes estados de ânimo.
- Formar as bases para um melhor conhecimento dos próprios estados de ânimo.
- Imaginar diferentes maneiras de atuar sobre as causas de distintos sentimentos negativos, amenizando-as ou eliminando-as.

Indicações metodológicas

Ao ampliar o leque de sentimentos, aprofunda-se também seu conhecimento. Por isso, é aconselhável ampliar o trabalho realizado, incorporando aqueles sentimentos e estados de ânimo, positivos e negativos, que apareçam com mais freqüência entre os(as) alunos(as): medo, inveja, compaixão, aborrecimento, ciúme, nervosismo, amor, coragem, segurança, auto-afirmação etc.

O procedimento deve ser o mesmo de exercícios anteriores, trabalhando-se a diferenciação entre as manifestações do sentimento e suas causas, estudando-se as conseqüências do estado de ânimo sobre a conduta pessoal e as relações interpessoais e imaginando-se maneiras de intervir sobre as causas dos sentimentos, para reforçá-las no caso dos positivos e para amenizá-las ou eliminá-las no caso dos negativos. É importante que o estudo de cada novo sentimento seja seguido da busca de formas adequadas de intervir sobre as causas que o originaram (atividades 11, 12 e 13).

O(a) professor(a) selecionará as formas de expressão que, a seu ver, sejam mais convenientes para seus(suas) alunos(as) (mímica, expressão oral, desenho, redação, dramatização etc.).

À medida que novos sentimentos se incorporam ao estudo, pode ser que os(as) estudantes não os diferenciem suficientemente. São freqüentes, por exemplo, as confusões entre a tristeza e o aborrecimento, entre o medo e o nervosismo, entre a preocupação e o aborrecimento, entre a compaixão e a solidariedade.

Que se puede hacer cuando se esta enfadado con un amigo

① Si tienen algun problema solucionarlo dialogan do.

② Hacer las paces.

③ Que si alguien ha hecho algo al otro que el otro no haga lo mismo.

Estas indiferenciações explicam-se pelo fato de que há sentimentos que produzem experiências internas muito semelhantes e, além disso, porque há os que compartilham uma ou várias manifestações externas: juntar as sobrancelhas pode ser uma manifestação de tristeza, mas também de aborrecimento; tremer pode ser um indicativo de medo, mas também de nervosismo.

A intervenção do(da) professor(a), neste caso, terá como objetivo ampliar a tomada de consciência dos(das) estudantes sobre suas experiências internas, para que passem a considerar o conjunto de gestos, posturas corporais e verbalizações e não uma só manifestação do sentimento.

Outros sentimentos adultos

Atividade nº 16: Outros sentimentos adultos

Indicações metodológicas

É conveniente repetir a experiência realizada na atividade nº 14, generalizando-a para outros sentimentos que trabalhamos com os(as) alunos(as) — atividade nº 15.

Que preocupa a los padres	Que acen cuando estan preocupados
① A jose le preocupa el trabajo porque no gana dinero	① buscar trabajo.
② A david le preocupa estar enfermo.	② pensar en cosas positivas y agradables.
3 A Andres le preocupa que haya personas que no tengan comida.	3 intentar ayudar a las personas que no tienen comida.
4 A Ignacio le preocupa que las cosas sean muy caras	4 no gastar tanto dinero.
⑤ A Maria le preocupa los rios y los mares contaminados.	⑤ decirle a todo el mundo que pa ta y asi podran acer una manifestación

Estes exercícios facilitam a comunicação com a família, introduzindo a possibilidade de falar com ela sobre seus sentimentos. Tanto os pais como as mães costumam receber com grande interesse as perguntas que suas filhas e seus filhos lhes fazem, e isso dá lugar, com freqüência, a uma melhor comunicação.

Generalização para casos reais

Atividade nº 17: Generalização para casos reais

Com as atividades desenvolvidas até o momento, os(as) alunos(as) aprenderam a analisar determinados sentimentos, positivos e negativos, e diferenciar suas manifestações de suas causas. Esta diferenciação permitiu-lhes, por um lado, adquirir consciência da utilidade de analisar e expressar os próprios sentimentos e de detectar e respeitar a manifestação dos sentimentos alheios. Por outro lado, ajudou-os a "construírem-se" como seres ativos, com capacidade para atuar sobre as causas de tais sentimentos, amenizando-as ou eliminando-as, no caso dos negativos, ou reforçando-as, no caso dos positivos.

A aprendizagem realizada cria, além disso, uma comunicação tal entre os membros do grupo que lhes permite abordar com naturalidade a problemática sentimental a partir da evocação e da comunicação das experiências próprias e da escuta ativa das experiências do resto da classe.

Apesar do caminho percorrido até agora, esta aprendizagem só adquirirá todo seu sentido quando permitir aos alunos e alunas defrontarem-se, de maneira adequada, com a variada problemática afetiva e emocional inerente a sua vida cotidiana e quando os (as) habilitar como sujeitos intelectualmente ativos em qualquer contexto afetivo — de família, de amizades, de companheiras e companheiros de estudos, de pessoas conhecidas — e nas mais diversas situações emocionais.

Em conseqüência, e a partir de agora o(a) professor(a) deverá ficar mais atento(a) para qualquer situação significativa, referente aos sentimentos, aos estados de ânimo e às emoções dos(das) alunos(as), que possa ocorrer na classe ou fora dela, para incorporá-la como objeto de reflexão coletiva e de estudo.

Em muitas ocasiões, observamos, na hora das atividades escolares ou na hora do recreio, um menino ou uma menina continuamente distraído(a) ou aborrecido(a) sem motivo aparente com as companheiras e os companheiros que o(a) rodeiam, ou evidentemente triste. Pode acontecer, também, que a conduta de algum membro do grupo tenha sofrido uma mudança nos últimos tempos e tenhamos dados que nos façam pensar em coisas que poderiam ter motivado isso. A chegada de um novo membro à família, por exemplo, pode provocar sentimentos de inquietude, medo do desconhecido ou ciúme e gerar condutas agressivas. Também a separação — ou a morte — de uma pessoa querida pode ser motivo de tristeza. Outras vezes, a incorporação à classe de um novo aluno que requer atenções especiais afeta uma parte da turma, que sente receber menos atenção.

Fazer pouco caso de uma situação que enfraquece, dificulta ou, inclusive, impossibilita, em determinado momento, o bom desenvolvimento do processo de ensino e aprendizagem não é, em absoluto, conveniente. Ao contrário, é preciso abordá-la diretamente, aproveitando para pôr em prática tudo o que foi aprendido até o momento. Trata-se de incorporar os sentimentos, os estados de ânimo e as emoções que acompanham as relações interpessoais como mais uma faceta da complexa realidade física e social da qual fazemos parte e sobre a qual pensamos. E é a partir da reflexão sobre casos reais que os(as) alunos(as) poderão desenvolver instrumentos adequados para enfrentar a variada problemática emocional que se apresenta em suas relações com as demais pessoas.

Aproximarmo-nos da pessoa triste ou aborrecida, explicar-lhe nossa percepção de seu estado de ânimo e convidá-la a falar disso para a classe é o primeiro passo. Oferecer-lhe, em seguida, um tempo dentro da aula para que, junto com seus companheiros e suas companheiras, analise o sentimento e busque maneiras de amenizá-lo ou eliminá-lo costuma ser uma maneira eficaz de começar a tematizar o assunto, normalizando como objeto de estudo os sentimentos e estados de ânimo cotidianos.

Se a sugestão é aceita, anuncia-se para a classe que uma pessoa tem um problema e quer explicá-lo para que, com suas idéias, a ajudem a ficar menos triste — ou aborrecida ou nervosa — ou a deixar de ficar triste. Depois de explicar seu estado de ânimo, convida-se a classe para fazer-lhe perguntas a fim de compreender as causas que o motivaram. Inicia-se, então, um interessante processo, no qual não só as pessoas do grupo obtêm uma informação da qual inicialmente careciam, mas também a pessoa afetada se aprofunda no conhecimento sobre o que lhe ocorre. As perguntas, cada vez mais ricas, que o grupo lhe dirige levam-na a incorporar variáveis e a divisar novas perspectivas.

Quando as causas dos sentimentos estiverem claras, abre-se uma segunda rodada, agora de idéias para modificar o estado de ânimo, da qual participam todas as pessoas da classe, inclusive a que expôs o problema. Cada uma das soluções propostas é avaliada coletivamente: discute-se se é adequada ou não, se age ou não sobre as circunstâncias que originaram o sentimento; em outras palavras, decide-se se é eficaz.

As propostas que se mostram ineficazes são descartadas; as que se consideram adequadas são anotadas em um papel e oferecidas para quem sofre o estado de ânimo, para que as aplique e comprove sua eficácia.

Uma vez mais, é interessante ressaltar que o processo que se põe em funcionamento tem conseqüências de diferentes níveis quando um grupo de 25 pessoas reflete sobre o mesmo objeto, fenômeno ou a mesma situação. Não só se consegue uma grande quantidade de idéias, que por sua vez gera novas idéias, mas também o caráter coletivo do processo de reflexão faz ainda com que a pessoa afetada pelo problema, e inicialmente sem instrumentos para lidar com ele, sinta-se emocionalmente apoiada pelo grupo. A partir de um determinado momento, já não se pode falar de uma série de indivíduos que buscam soluções para o problema de uma pessoa, mas sim de um grupo que funciona como um todo, no qual seus membros pensam, desenvolvem reflexões críticas, relacionam idéias e fazem sugestões. Entre as propostas avaliadas positivamente, é comum que apareçam algumas que foram imaginadas pelo(a) próprio(a) aluno(a) cujo problema se analisa e que, momentos antes, se limitava a sofrer passivamente seu estado de ânimo.

Uma dinâmica como a que propomos, na qual não só os problemas matemáticos e os de linguagem são objeto de estudo na classe, mas também os relacionados com a vida afetiva, tem mais conseqüências. À medida que a aprendizagem avança, os(as) próprios(as) alunos(as) pedem um espaço e um tempo para refletir coletivamente. "Tenho um problema e quero que me ajudem a solucioná-lo", comenta alguém, um dia, para a professora ou o professor.

Ao comprovar a eficácia das soluções propostas e sentir a empatia de companheiras e companheiros, o clima da classe modifica-se, e criam-se relações de mútua confiança que favorecem o andamento geral de toda a aprendizagem.

Dado nosso enfoque teórico, devemos ampliar o leque de aspectos da realidade que consideramos que merecem ser pensados, de empregar todos os instrumentos intelectuais e afetivos de que dispomos para conhecer também o que, por proximidade, mais nos toca e interessa: a nós mesmos e às pessoas que nos rodeiam. Buscamos, por que não?, desenvolver novos instrumentos de reflexão, mais adequados aos novos objetos de conhecimento que propomos. É questão, simplesmente, de reorganizar o tempo.

Um exemplo ilustrativo: a tristeza e a preocupação de Ricardo

Para ilustrar o desenvolvimento de uma sessão de reflexão coletiva em torno de um sentimento, exporemos o caso de Ricardo, um aluno de seis anos de uma classe de Ensino Fundamental.

É uma tarde. A classe, organizada por grupos, trabalha sobre um problema matemático. Enquanto discutem sobre as maneiras de solucioná-lo, observo que Ricardo quase não intervém. No momento em que os grupos compartilham as conclusões às quais chegaram, volto a fixar-me nele. É um menino extrovertido, muito participativo nos debates e especialmente interessado na troca de idéias posterior a uma experiência de Física ou Matemática. Esta tarde, enquanto as intervenções ocorrem, ele não abre a boca. Com a cabeça apoiada entre as mãos e o olhar fixo em algum ponto da parede, só presta um pouco de atenção quando chega a sua vez de expor algo para seu grupo.

Aproximo-me e procuro mostrar que o observei. Pergunto-lhe se está triste ou preocupado. "Mais ou menos", responde-me. Ofereço-lhe os últimos três quartos de hora da tarde para, com as companheiras e os companheiros, buscar maneiras de aliviar sua tristeza e sua preocupação. Com um "não precisa", recusa em um primeiro momento minha sugestão. O diálogo entre os grupos continua. Não passaram nem três minutos quando se aproxima de mim: "Sim, quero explicar". Acabada a aula de Matemática, comunico à classe que Ricardo tem um problema e que vamos pensar em maneiras de ajudá-lo.

Esta é a transcrição de alguns momentos da sessão.

Ricardo começa explicando para a classe seu estado de ânimo. Incentivo-os a fazerem-lhe perguntas "para entender muito bem o que acontece com ele".

Ricardo — Minha avó está em uma casa de repouso e está muito mal. E eu quero ir ver ela e não posso ir. E estou muito triste.

— O que é uma casa de repouso?, pergunta Gabriel.

Várias mãos levantam-se, oferecendo-se para explicar.

Ricardo — Como um médico. Você está mal, então... olha, é como um médico, e vai até lá e lhe dão de comer. É como uma escola, igual mas sem trabalhar.

Antonio — São como umas casas que são para os velhos, cuidam deles ali.

Henrique — Não se chamam "velhos".

Ignácio — É uma coisa que faz meu pai. Só tem um médico, não tem mais nenhum, é só meu pai. Quando alguém se machuca, chama ele. E o médico está dentro da escola e chamam ele e meu pai o cura.

Antonio — Eu conheço uma escola que também é de doentes, para onde vai meu primo que também está doente. E dorme ali, vive ali, tudo ali. Fica uma semana ali e no fim de semana vai embora e volta na segunda-feira.

A intervenção de Ricardo, comparando a casa de repouso com uma escola na qual há um médico, fez Ignácio recordar sua experiência. O que este explica liga-se, por sua vez, com a realidade de Antonio. Completo sua informação explicando-lhes que há diferentes tipos de casa de repouso, que nem todas são para adultos ou doentes, que nas casas de repouso para adultos costumam ir as pessoas que necessitam de cuidados especiais ou as que, por alguma razão, não podem receber em sua casa toda a atenção de que necessitam. Retomamos o tema de que nos ocupamos. Incentivo-os a continuar perguntando para Ricardo, para entender bem o que lhe acontece.

Alícia — Quantos anos tem sua avó?

Ricardo — 85 ou algo assim. Quero dizer outra coisa, que também estou preocupado porque, por exemplo, quando vai para o refeitório ou outro lugar, cai e se machuca. E estou muito preocupado porque não sei se está muito doente.

Célia — Não pode perguntar isso para seus pais?

Ricardo — E se meus pais não sabem?

Joaquim — Que perguntem aos médicos.

Professora — Isso é uma solução. Anote-a para dizê-la depois. Agora continuaremos com as perguntas para entender bem o que acontece com Ricardo.

Custa-lhes não ir dando soluções à medida que os problemas se apresentam. É importante, contudo, delimitar perfeitamente os dois momentos do processo, o de perguntas para entender o problema e o de idéias para solucioná-lo. Dedicar tempo suficiente para esclarecer o problema e localizar suas causas facilitará, posteriormente, a busca de soluções que realmente incidam sobre as causas. Por esta razão é necessário fazê-los voltar a se concentrar nas perguntas.

Pilar — Quero dizer duas coisas. Em que hospital está?

Ricardo — Quer dizer em que casa de repouso? Não sei como se chama.

Pilar — Por que não deixam você ir?

Ricardo — Sim, me deixam ir, o que acontece... Olha, eu vejo ela muito pouco e não posso ir muitas vezes, porque como vou para a escola e tudo isso... Tenho atividades... E no sábado, que é quando meu pai e minha mãe vão ver ela, como quase sempre vou na casa do Adrián... quase nunca, só às vezes... quase nunca posso ver ela, só às vezes.

Pilar — E por que não diz a seus pais se pode ver ela?

Ricardo — Porque sou muito amigo do Adrián e quando brinco me distraio e não me lembro nunca de dizer isso para ele.

Henrique — Então anote isso.

Professora — Isso já é uma solução, anote para depois. Primeiro acabamos com as perguntas.

As expressões incorretas são rapidamente corrigidas por alguma pessoa do grupo. A ambigüidade e uma certa incoerência nas explicações de Ricardo são rapidamente contestadas.

Antonio — Eu sei por que se pode ir muito pouco nesses lugares... porque tem muita gente.

Ricardo — Porque somos muito pequenos.

Carolina — E você pode pegar a doença.

Antonio — Porque tem muitos doentes e muitos micróbios e alguém pode pegar a doença dos outros.

Joaquim — Mas, então, os pais do Ricardo também.

Ignácio — E os doentes também.

Ricardo — Comigo não acontece isso. Quando vou ver minha avó, ela está na cama e minha mãe sentada. Isso pode acontecer com minha mãe, que fica perto dela, mas não comigo, porque em geral fico pelos corredores, às vezes me sento para escutar...

Carolina e Antonio introduzem um novo ponto de vista, o dos adultos que são responsáveis pelas pessoas. Observar o ponto de vista dos adultos traz novos dados ao problema. Embora conteste o argumento de sua companheira, Ricardo já não esquece a perspectiva adulta. Mais adiante, permitirá que ele entenda, em parte, por que sua mãe não o leva com mais freqüência para visitar a avó.

A ausência de perguntas que esclareçam o problema indica o momento de passar para as soluções. Resumir a problemática surgida permite delimitá-la.

Professora — Mais alguma pergunta? Então, recordemos quais são seus problemas (dirigindo-se a Ricardo).

Ricardo — Que estou preocupado porque não sei se a minha avó tem feridas ou não, não sei se está boa ou não. E o outro é que quero ver ela, mas às vezes não posso ir.

Sílvia — E quando vai, não pode perguntar o que tem?

Ricardo — Sim, já sei o que tem, o que acontece é que quando vou para casa outra vez, já não me lembro.

Professora — Bom, então você tem dois problemas. Quem tem soluções?

Sete mãos levantam-se. Pilar intervém em primeiro lugar.

Pilar — A que disse antes, pode falar para seus pais que quer ir ver a sua avó. Quando vierem buscar você na escola, fale isso.

Ricardo — Sim, mas é a babá que vem me buscar na escola porque minha mãe e meu pai estão trabalhando. E ela não sabe onde fica a casa de repouso.

Pilar — Então, se a sua babá tem o telefone da sua mãe ou do seu pai, de onde trabalham, que telefone para eles.

Joaquim aproveita a idéia de Pilar e a aperfeiçoa.

Joaquim — Tenho outra idéia. Peguei um pouco da idéia de Pilar. Que quando seus pais voltarem, que dêem o telefone para a babá.

Professora — Qual telefone?

Joaquim — O da casa de repouso. E assim, quando estiver triste, telefone e pode saber como está.

Professora — Telefonar para quem?

Joaquim — Para sua avó.

Professora (dirigindo-se a Ricardo) — O que acha da idéia?

Ricardo — Não sei, mas acho que meu pai não tem o telefone da casa de repouso.

Verônica — Então peça.

Ricardo — Sim, me parece uma boa idéia. Anote (dirigindo-se a Joaquim).

O primeiro problema já tem solução.

Henrique — Tenho outra idéia. Que não vá tanto à casa do Adrián.

Ricardo — Às vezes, à tarde, não temos nada para fazer, nem ir à casa de repouso... então o Adrián me chama.

Henrique — Então diga não.

Ricardo — Mas se não tenho nada para fazer...

Henrique — Então não reclame.

Professora — Por que Ricardo reclamava?

Henrique — Porque estava triste porque não via sua avó.

Professora — E o que nos falou do Adrián?

Henrique — Que ficava até muito tarde na sua casa e depois, quando voltava, era muito tarde... O que é mais importante, Ricardo, seu amigo ou sua avó?

Ricardo — Minha avó.

Ao fazer uma proposta para responder ao segundo problema, Henrique coloca Ricardo entre a responsabilidade e o prazer. Este tenta defender o tempo que divide com o amigo, mas seu companheiro de classe lhe exige coerência. Recordar a história pode servir para que Ricardo observe todos os dados do problema.

Ricardo — Mas não é tão fácil ir ver minha avó, né? Algumas vezes não posso ir.

Blanca — Por quê?

Ricardo — Não sei... É que se, por exemplo, quero ir ver minha avó e não posso ir... Deixa eu ver, hoje vou à casa do Adrián e não posso ver minha avó.

Professora — Por que não?

Ricardo — Olha, porque então não iria nunca na casa do Adrián, sempre iria ver minha avó.

Gabriel — Mas em alguns dias vai na casa do Adrián e em outros ver sua avó.

Montse — Ou um dia na casa do Adrián e outro dia ver a avó.

Colocado em xeque, o menino só pode ser coerente com sua preocupação e com a história que nos explicou. Mas as coisas não são tão simples. E Ricardo tenta reorganizar seu mundo, buscando explicações, por um lado, e tentando não renunciar a nenhum de seus desejos, por outro. Mais adiante deverá responsabilizar-se pelo que ambos envolvem, tentar coordená-los e fazer as renúncias necessárias para que os dois sejam possíveis; terá de assumir novas responsabilidades. As contribuições de Gabriel e de Montse constituem ajudas importantes.

Ricardo — Me parece que já sei por que minha mãe não me deixa ir tantas vezes ver minha avó, porque está doente. Se não estivesse doente, me deixaria ir quando quisesse, mas...

Professora — Quantas vezes gostaria de ir ver sua avó?

Ricardo — Quantas puder.

Professora — Mas quantas gostaria?

Ricardo — Não posso ir na casa do Adrián? Eu também quero ir na casa do Adrián.

Henrique — Então é a mesma pergunta de antes; quem é mais importante: sua avó, que está doente, ou Adrián, que não está doente?

Ricardo fica quieto.

Professora (dirigindo-se a Ricardo) — Eu acho que teria de decidir se quer ir ver sua avó ou não.

Ricardo — Sim.

Professora — E quantas vezes quer ir?

Ricardo — Duas vezes por semana.

Célia — Então diz para sua mãe.

Ricardo — Mas não posso ir tantas vezes.

Célia — Não são tantas vezes, né?

Ricardo — Bom, mas está em uma casa de repouso...

Professora — Mas você quer ir duas vezes na semana ou não?

Ricardo — Sim.

Professora — E pode ir ou não?

Ricardo — Não sei.

Professora — Se quer ir duas vezes e não sabe se pode ir, o que pode fazer?

Ricardo — Perguntar isso para minha mãe.

As soluções que lhe foram dadas parecem tão evidentes e simples que Ricardo precisa retomar o ponto de vista adulto para explicar uma realidade que lhe era problemática. No entanto, o fato de entender sua mãe não pode ser uma desculpa para evitar responsabilidades. Ao contrário, a uma maior compreensão do problema corresponde um nível mais alto de compromisso.

Combinamos, então, que Ricardo nessa tarde falará com sua mãe e seu pai e lhes explicará o problema e as duas soluções que lhe oferecemos. Depois que fizer isso, irá comunicar-nos sobre o resultado de sua intervenção. Terminada a sessão, e antes de ir para casa, aproxima-se de mim.

Ricardo — Mas também não é uma boa idéia explicar o problema para minha mãe, porque assim também vai ficar preocupada porque estou preocupado.

Professora — Quando sua mãe ficará mais preocupada: se o vê preocupado e não sabe por que está assim e nem o que pode fazer, ou se lhe explica o que o preocupa?

Ricardo — Se me vê preocupado e não sabe por quê.

Com certeza, incorporou a perspectiva da pessoa adulta.

No dia seguinte, perguntamos-lhe como foi a conversa com sua família.

Ricardo — Falei com minha mãe. Meu pai está viajando.

Professora — O que lhe explicou?

Ricardo — "Mãe, tenho um problema, quero ir ver a minha avó, e como nessa casa de repouso não posso ir tantas vezes, então quero ir duas vezes na semana". E me disse que dois dias por semana também não pode ser, mas que neste domingo posso ver ela. E se posso ir neste domingo, quer dizer que posso ir muitas vezes, porque me disse que mudou de casa de repouso e que posso ir mais, porque aquela é como uma casa: pode passear, sair quando quiser... Ou seja, não tem nenhum problema.

Professora — Então funcionou a idéia de ir alguns dias à casa de Adrián e outros ver sua avó? E a de decidir quantos dias quer ir vê-la? E a de falar com sua família?

Ricardo — Sim.

Joaquim — E a idéia que dei do telefone?

Montse — Que idéia era?

Ricardo (dirigindo-se a Montse) — Que minha mãe desse o telefone de quem cuida dos doentes daquela casa de repouso e desse para Estér, minha babá. Então, quando ela vier me buscar na escola eu posso telefonar. E perguntei para Estér se estava tudo bem e me disse que sim. E para minha mãe também perguntei se podia usar o telefone e me disse que tudo bem.

Avaliação

Atividade nº 18: Avaliação

Com o propósito de avaliar os progressos realizados ao longo do trabalho sobre sentimentos, propõe-se aos alunos e alunas que descrevam por escrito (ou desenhem, combinando desenhos com textos curtos) uma situação que tenham vivido recentemente e na qual puderam modificar um sentimento negativo que experimentaram, ou uma na qual tiveram a oportunidade de contribuir para modificar o estado de ânimo negativo de alguma pessoa.

Deve-se insistir na necessidade de as produções refletirem claramente os sentimentos de que tratam, as causas que os motivaram, a intervenção que se realizou, os resultados produzidos e o que sentiram durante o processo.

Para a avaliação serão considerados os avanços realizados em relação às atividades 6, 11 e 12, por meio de comparação. Serão observados os seguintes aspectos:

- A diferenciação do sentimento em relação a suas manifestações e suas causas.
- O surgimento de todas as manifestações que acompanham o sentimento em questão.
- O grau de adequação da intervenção que realizaram.
- O detalhamento da descrição do que realizaram e dos sentimentos que experimentaram.

ANEXO

Folha nº 1

Folha nº 2

Folha nº 3

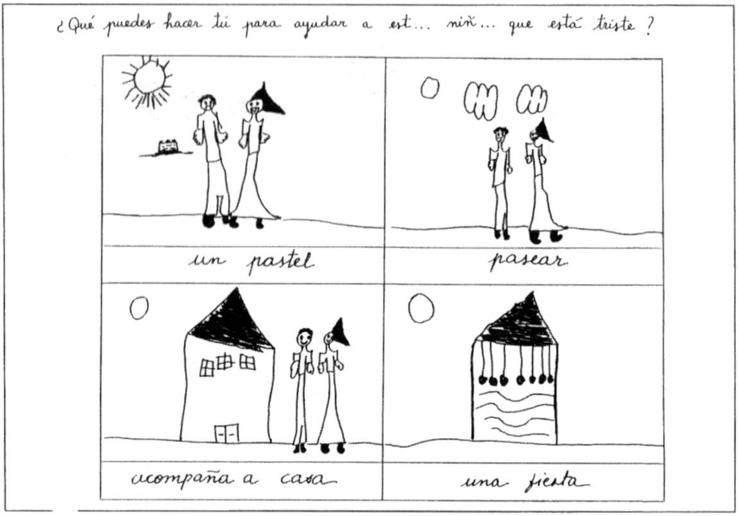
¿Qué puedes hacer tú para ayudar a est... niñ... que está triste ?
un pastel
pasear
acompaña a casa
una fiesta

Folha nº 4

4

Os Conflitos

Relações interpessoais. Suas formas

Atividade nº 1: Debate sobre algumas formas de relação interpessoal

Objetivos

- Estudar algumas formas de relação interpessoal: a ajuda, a solidariedade e os conflitos entre iguais.
- Detectar as idéias que os(as) alunos(as) têm sobre o tema.
- Valorar a comunicação entre as pessoas como um meio de expressão e troca de opiniões.
- Considerar a diversidade de opiniões entre os membros da classe como uma riqueza do grupo.
- Favorecer o respeito pelo direito de todos falarem.
- Usar a escrita como instrumento que permite dar conta dos acordos feitos por um grupo.

Indicações metodológicas

O desenvolvimento desta atividade requer um ambiente de confiança que favoreça a troca de idéias sobre a diversidade das relações interpessoais, que caracteriza a convivência entre iguais.

1.1 *Debate em grupo e registro escrito das idéias tratadas*

As cinco primeiras gravuras do material (ver anexo: págs. 189 a 193 — gravuras 1, 2, 3, 4 e 5) são colocadas em um lugar visível da classe. Deve-se recordar os(as) alunos(as) de que a cada dia vivemos experiências diferentes e comentar cada um dos desenhos, fazendo-os(as) observar:

- Que há momentos em que uma pessoa está só (fazer referência às gravuras 1 e 2) e momentos nos quais está com outra pessoa (mostrar as gravuras 3, 4 e 5).
- Que é possível estar com outras pessoas de maneiras muito diferentes. Com ajuda das gravuras, deve-se explicar que há momentos em que as pessoas se ajudam (mostrar gravura 3), outras ocasiões em que as pessoas brigam (gravura 4) e outras em que as pessoas se divertem juntas (gravura 5).

As séries superiores podem procurar fotografias em revistas ou jornais que mostram as condutas descritas.

Feita a apresentação das cinco gravuras, propõe-se que comparem os desenhos (ou as fotografias) e pensem qual deles reflete, a seu ver, a melhor maneira de "estar". O objetivo desta atividade é favorecer a análise das vantagens e desvantagens próprias de cada uma das formas de "estar no mundo" que as gravuras representam. Depois desta primeira comparação geral, solicite-lhes que se agrupem em torno das diferentes formas de relação — estar com outras pessoas divertindo-se, ajudando-se ou brigando — ou de não-relação — estar sozinha ou sozinho —, levando em conta que os grupos têm de ser mistos e procurando fazer com que exista um certo equilíbrio entre o número de pessoas de cada um.

Cada grupo será encarregado de uma tarefa, de acordo com a gravura selecionada. Às pessoas do primeiro, pede-se que recordem alguma ocasião na qual estiveram sozinhas; às do segundo, que recordem a última vez que interferiram em uma briga; às do terceiro, que evoquem situações nas quais ajudaram outras pessoas ou receberam ajuda delas; finalmente, as pessoas do último grupo são convidadas a recuperar a lembrança de alguns momentos em que mais se divertiram com um grupo de amigas e amigos.

Antes de analisar os aspectos mais específicos de cada forma de relação, os(as) alunos(as) são incentivados(as) a trocar, dentro do seu grupo, suas recordações e experiências pessoais referentes à forma de relação que analisam. A seguir, pede-se que iniciem um debate sobre as vantagens e desvantagens deste tipo de relação — ou situação de solidão.

Para que esta atividade seja frutífera é necessário que os(as) alunos(as) se dêem conta das razões pessoais que sustentam suas preferências. Este objetivo só será atingido se lhes for permitido expressar e trocar livremente suas opiniões, ainda que estas destoem do modelo de comportamento para o qual se deseja educar.

Um exemplo permitirá ilustrar a afirmação anterior. Há pessoas que justificam as vantagens de brigar com argumentos do tipo "o melhor de brigar é quando ganho" ou "o que mais gosto quando brigo é de bater". Ao lado, na coluna das desvantagens, escrevem frases como "o que não gosto quando brigo é de perder" ou "o que não gosto quando brigo é que me batam porque me machucam muito". Se o que desejamos é modificar as condutas inadequadas de nossos(as) alunos(as), podemos atuar reprimindo-as ou podemos atuar sobre suas motivações mais profundas, modificando-as. A escolha desta segunda via requer, necessariamente, o conhecimento das razões pessoais que sustentam tais condutas. Se nos assusta escutar um menino dizer que gosta de bater e o calamos com um "isso não se diz" ou "isso não se faz", não poderemos perguntar-lhe por que gosta e não nos inteiraremos de que a vantagem, para ele, é ganhar, porque então seus companheiros terão medo dele e o respeitarão; não saberemos, afinal, que aquele menino necessita afirmar-se, ainda que seja por meio do jogo e recorrendo à força. E como vamos intervir, então, se desconhecemos seus motivos?

O registro das idéias que vão surgindo nos debates que se desenvolvem em cada grupo favorecerá a exposição conjunta que se realizará posteriormente.

a) Com Educação Infantil e primeiras séries do Ensino Fundamental

Nos primeiros anos de educação infantil, a troca de lembranças e experiências pessoais sobre a forma de relação escolhida se faz oralmente com toda a classe e tem a pessoa adulta como elemento regulador das intervenções.

Os(as) estudantes que já têm um certo domínio da escrita podem trabalhar em grupos de três ou quatro. Cada equipe recebe uma folha, e seus membros são convidados a registrar nela, à medida que vão surgindo na discussão, os prós e os contras da forma de relação sobre a qual refletem.

b) Com as últimas séries do Ensino Fundamental

Aos(às) estudantes de mais idade, explica-se que, depois do debate — dentro de cada grupo —, terão de chegar a um acordo sobre quais foram as principais idéias tratadas para, depois, fazer um resumo individual delas. Deve-se esclarecer-lhes, quantas vezes forem necessárias, que a escrita individual tem de refletir os acordos do grupo, porque serão estes — e não as pessoas — que, ao finalizar, compartilharão os aspectos positivos e os negativos da forma de relação escolhida.

1.2 *Regulação coletiva*

Uma vez recolhidas as idéias fundamentais, inicia-se a leitura em voz alta dos diferentes trabalhos. Nas séries de estudantes maiores, que fizeram um resumo individual do que foi tratado, pede-se a uma pessoa do grupo que leia sua produção e comprove se esta reflete as idéias estabelecidas por seu grupo. Em caso negativo, viabiliza-se a ajuda necessária para que corrija ou complete sua escrita.

Expressando conflitos

Atividade nº 2: Expressão oral de conflitos interpessoais

Objetivos

- Dar aos(às) alunos(as) a oportunidade de expressar suas idéias em relação aos conflitos e de contrastá-las com as de todas as pessoas da classe.
- Oferecer ao(à) professor(a) uma primeira aproximação com as idéias dos(das) estudantes em relação aos conflitos.

Indicações metodológicas

Esta atividade, como as outras que tratam do tema, baseia-se em uma concepção do conflito como um processo que se desenvolve com o tempo e que consta de diferentes fases:

a) Podemos falar, em primeiro lugar, de uma situação inicial conflituosa. É o momento no qual o conflito se manifesta. É a fase que nos permite perceber que há um problema de relacionamento, e identificá-lo.

b) Todo conflito manifestado tem um porquê, uma história anterior na qual se localizam suas causas. É a fase dos antecedentes, aquela que explica o conflito; é necessário reconstruí-la para entender o conflito.

c) Falamos da terceira fase quando nos referimos ao momento das soluções. Algumas soluções que qualificamos de adequadas quando não são violentas nem sexistas nem racistas; quando são justas e quando não são arbitrárias e incidem sobre as causas do conflito, amenizando-as ou eliminando-as.

d) Se as soluções imaginadas são adequadas, a situação inicial conflituosa transforma-se em uma situação final não-conflituosa. É a última fase em um processo de bom desenvolvimento. Se não são adequadas, o conflito persiste, seja de forma evidente ou oculta.

O esquema seguinte ilustra o conceito de conflito como processo temporal com fases que se sucedem:

Antecedentes → do conflito - causas -	Situação inicial → conflituosa	Soluções → adequadas	Situação final não-conflituosa
	→	Soluções → inadequadas	Persiste o conflito

a) Com Educação Infantil e primeiras séries do Ensino Fundamental

Pode-se iniciar a atividade com duas marionetes representando um conflito, para que toda a classe veja. Poder atribuir problemas pessoais às marionetes ajuda meninas e meninos a expressar idéias e sentimentos que podem ser difíceis de abordar diretamente.

Como esta é uma atividade de avaliação inicial, na qual se pretende conhecer o tipo de dificuldade que os(as) alunos(as) têm quando se trata de analisar e dar resposta a um conflito, é fundamental que a pessoa se abstenha de fornecer modelos. Deverá limitar-se a representar, com as marionetes, a manifestação do conflito — brigar, discutir, gritar, aborrecer-se etc. —, sem fazer nenhuma referência a sua história, nem às possíveis soluções.

A partir da representação que a professora ou o professor faz do conflito, pede-se que imaginem e expliquem histórias nas quais os personagens acabem brigados, aborrecidos ou discutindo. Depois do relato espontâneo de cada história, são convidados(as) a buscar maneiras para que os personagens resolvam seu problema.

É interessante que explicitem suas idéias sem serem coagidos pelo que é considerado moralmente correto. Por isto, neste momento da avaliação inicial, o(a) professor(a) irá abster-se de intervir, sejam quais forem as soluções que proponham. Convém prestar atenção a que, tanto elas como eles, relatem histórias e que não sejam excessivamente longas nem estejam desvinculadas de sua vivência cotidiana.

No caso de não haver marionetes, podem ser utilizados desenhos que representem conflitos semelhantes ao da gravura nº 6 (ver anexo). Deve-se explicar-lhes, então, que foram feitos por meninas e meninos da mesma faixa etária que a deles(delas), para falar de alguns de seus problemas habituais. Deixando o desenho

diante de todos, são convidados(as) a imaginar e explicar histórias nas quais surjam problemas entre os personagens desenhados e a acompanhar cada história, a maneira como seus protagonistas resolveram as desavenças.

b) Com as últimas séries do Ensino Fundamental

Pode-se iniciar a atividade apresentando fotografias ou quadrinhos de gibi nos quais apareçam personagens de idades similares às dos(das) alunos(as), em situação evidente de conflito — discutindo, brigando, gritando, aborrecidos etc. Com todas as pessoas da classe vendo a fotografia selecionada, pede-se que inventem histórias que expliquem o conflito que ali se manifesta e que imaginem de que maneiras os personagens podem solucionar seu problema.

Também é viável começar explicando algum conflito que tenha acontecido na escola — uma briga no pátio, insultos no momento de fazer as filas, uma disputa na classe, uma discussão no refeitório — para, a seguir, pedir-lhes que imaginem por que aconteceu e incentivá-los a buscar soluções.

Por se tratar de uma atividade de avaliação, as intervenções do(da) professor(a) estarão direcionadas apenas para favorecer a participação de todas as pessoas da classe, meninas e meninos, e facilitar a livre expressão de suas idéias.

Atividade nº 3: Explicação de conflitos interpessoais. Desenho e escrita

Objetivo

- Proporcionar ao(à) professor(a) informações que lhe permitam conhecer as dificuldades iniciais dos(das) alunos(as) no momento de analisar problemas de relação e de buscar soluções.

Indicações metodológicas

O intercâmbio oral e coletivo de histórias e soluções, referentes a conflitos hipotéticos entre os personagens representados pelas marionetes, pelos desenhos ou pelas fotografias, prepara esta terceira atividade, na qual os(as) alunos(as) têm de imaginar a história de um conflito entre dois personagens e idealizar soluções para ele.

Cada pessoa recebe uma folha para dividir em três partes e numerá-las. Em seguida, os(as) estudantes são incentivados(as) a imaginar dois personagens que têm um problema entre eles, que finalmente conseguem resolver. Uma vez imaginados os personagens e o conflito, solicita-se que expliquem este em uma folha, seguindo as indicações que a seguir detalhamos:

- Em primeiro lugar, na parte central da folha, têm de explicar como se nota que os personagens têm um problema — manifestação do conflito.
- Em segundo lugar, no lado esquerdo, explicarão por que tiveram esse problema, o que aconteceu antes para que acabassem brigando, insultando-se, gritando ou aborrecidos.
- Finalmente, no lado direito, têm de explicar o que os personagens fizeram para resolver suas diferenças.

As instruções serão dadas em seqüência. Antes de iniciar a atividade, e com objetivo de confirmar se as tarefas foram entendidas, pede-se que explicitem o que têm de fazer em cada etapa. Caso seja necessário, repete-se a tarefa e são dadas as explicações que se considerem adequadas para que a compreendam perfeitamente.

Com alunos(as) menores, utilizam-se o desenho e a escrita como meios de comunicação. Nas séries superiores, podem-se combinar ambos os meios ou usar só a escrita.

O registro individual dos conflitos imaginados por cada pessoa da classe permitirá analisar as dificuldades específicas que cada uma tem quando se trata de lidar com um conflito. Esta análise tem um duplo objetivo. Por um lado, e ao finalizar a aprendizagem, permitirá avaliar a evolução das condutas individuais, graças à comparação destas produções com as de uma atividade similar realizada depois da aprendizagem. Por outro lado, as atividades seguintes serão programadas de acordo com as dificuldades da classe, o que permitirá um trabalho para superá-las.

Vejamos algumas destas dificuldades, comuns entre os(as) alunos(as) de Educação Infantil e Ensino Fundamental, no momento de confrontar-se com conflitos. Conhecê-las ajudará a nos familiarizarmos com suas condutas.

Dificuldades dos(das) alunos(as) para analisar um conflito e buscar soluções

1. Problemas de indiferenciação entre as fases do conflito

As condutas nas quais aparecem indiferenciações entre as diversas fases do conflito são comuns em educação infantil e nas primeiras séries do Ensino Fundamental. Embora com menos freqüência, também podemos encontrá-las nas produções dos(das) alunos(as) mais velhos.

Exemplo 1. As dificuldades para distinguir as diferentes fases do conflito — história, manifestação e soluções — evidenciam-se em condutas como a de J. Ele explica a história na primeira vinheta, como lhe foi pedido ("Pedrinho lhe pede o lápis e Tata diz não"), mas volta a fazer referência a ela na vinheta central, a correspondente à manifestação do conflito ("Pedrinho se aborrece e lhe dá um chute *porque não lhe dá o lápis*").

Exemplo 2. Como indicamos, as indiferenciações não se dão apenas entre estudantes de menor idade. Os problemas que tem R. para diferenciar a manifestação do conflito das soluções confirmam isso. Na parte central, e depois de explicar como se manifesta o conflito ("algumas meninas deixaram de lado uma outra do grupo e estão falando mal dela"), acrescenta uma solução ("não é certo excluir um colega do grupo, às vezes eu também faço isso, mas logo me arrependo *e me desculpo*").

2. Problemas para imaginar a história do conflito e localizar suas causas

Na educação infantil e nas primeiras séries do Ensino Fundamental há uma forte tendência a identificar a manifestação do conflito com as causas e a ignorar estas de forma sistemática. Esta indiferenciação explica que, comumente e de maneira automática, se tende a identificar quem recebeu um soco, quem protes-

¿Por qué pasa?

Porque la quieren fastidiar. O las ha insultado la niña a ellas y ahora se vengan.

¿Qué pasa?

Unas niñas han dejado a otra de lado y la están insultando. Eso está mal, dejar de lado a un compañero que no te cae bien. Yo a veces lo hago, pero después me arrepiento y me disculpo.

Soluciones

Si tienen algun problema solucionarlo dialogando. Hacer las paces.

ta ou quem se queixa como vítima. Mas não é necessariamente assim; depende do que aconteceu antes. Pode acontecer, por exemplo, que quem recebeu um soco em um determinado momento seja a pessoa que iniciou o conflito. Daí a necessidade de sempre levar em conta a história.

Exemplo 3. A produção de F. é um exemplo claro de conduta na qual a causa se assemelha à manifestação, já que esta se explica em termos de "estão brigando" e o motivo pelo qual brigam é que "está a ponto de lhe bater!".

Exemplo 4. As dificuldades dos(das) alunos(as) para imaginar a história do conflito podem manifestar-se de outras maneiras. Uma delas consiste em imaginar histórias que não têm relação com o

conflito que aparece na gravura. Vemos isso na conduta de C., para quem o conflito entre o menino L. e a menina B. se explica porque L. estava planejando com seus amigos, S. e J., uma briga contra V., um quarto menino. A relação entre esta história e o conflito com B. é nula.

Exemplo 5. Encontramos outro problema entre os que já são capazes de imaginar uma história que corresponde ao conflito representado. É comum que tentem explicar o conflito (por exemplo, a menina atira uma pedra no menino) com outro fato ocorrido anteriormente (o menino tinha insultado a menina) e cujas causas, por sua vez, desconhecem (por que o menino tinha insultado a menina?).

3. Dificuldades para buscar soluções adequadas

Quando se trata de buscar soluções para os problemas, é comum estudantes de diferentes idades proporem severos castigos ou medidas repressivas dirigidas à pessoa que aparece como culpada, sem se preocupar em verificar os fatores que originaram os conflitos ou propor soluções que possam eliminar ou neutralizar as causas geradoras dos problemas. Um exemplo disso é esta lista de conflitos que, com suas respectivas soluções, extraímos de algumas das histórias imaginadas por estudantes do Ensino Fundamental.

Conflitos	*Soluções*
Não trabalham..................................	Não os deixar sair nenhum domingo
Não fazem os deveres	Castigá-los sem pátio
Falam	Expulsá-los da classe
Copiam	Rasgar sua folha
Não emprestam o material	Tirar seu material
Dão uma rasteira	Fazer uma cópia mil vezes
Roubam	Denunciá-los
Respondem para o(a) professor(a)	Expulsá-los do colégio

Também são freqüentes as soluções que propõem responder à agressão nos mesmos termos: empurrar a pessoa que empurrou, não deixar brincar o menino que não emprestou o brinquedo, deixar de lado a pessoa que nos ignorou em determinado momento, devolver o insulto a quem insultou etc.

Entre alunos(as) de menor idade encontramos o recurso à autoridade da pessoa adulta, em cujas mãos se deposita a solução do problema. Vemos isso nas explicações de C. e de J., que propõem "contar para a professora" e "ficar do lado da professora e assim não lhe baterá" para solucionar seus problemas. Apesar de menos freqüente, também encontramos esta falta de autonomia entre alunos(as) mais velhos. Quando se trata de responder a um roubo, G., 12 anos, propõe "falar com a diretora".

Não faltam, entre as propostas dos(das) alunos(as), soluções "mágicas" e finais felizes. Tentar solucionar o conflito "dando-se a mão", "perdoando-se", "sendo amigos", "não voltando a brigar", "dando-se conta de que o que fizeram não foi legal" ou "arrependendo-se", para citar só algumas das fórmulas mais freqüentes, supõe explicitar o desejo de que o problema de relação entre os personagens se resolva de maneira favorável, mas só isso. São fórmulas vazias de conteúdo já que não explicam como se passa da situação conflituosa em questão — briga entre duas pessoas, por exemplo — para o final desejado — quando se perdoam. As perguntas acumulam-se: como perdoar alguém que está batendo sem que saibamos por quê?, como arrepender-se de algo de que não se tem consciência?, qual parte, das envolvidas, tem de pedir perdão primeiro e por quê?, pode-se ter vontade de dar a mão para quem acaba de bater?

Também algumas das propostas de diálogo dos(das) alunos(as) das séries superiores têm um certo ar mágico. Soluções como "falar com ela e não a expulsar do grupo" e "falar com calma sem chegar a bater", para resolver um conflito no qual aparecem dois personagens brigando, ou "conversar respeitando as idéias de um e de outro", quando os dois personagens aparecem aborrecidos e insultando-se, são certamente desejáveis. Mas como concretizá-las, torná-las viáveis e, portanto, adequadas? De que falar e em que termos com uma pessoa que não suportamos? Como falar com calma quando uma das pessoas está certa de que o gol foi inválido e a outra também tem certeza de que foi válido? Como respeitar as idéias da outra pessoa se elas contradizem as que eu tenho sobre a maquete que construímos juntos?

Há soluções que sugerem, inclusive, que é a vítima quem deve modificar sua conduta, sem questionar a da pessoa agressora. Quando os meninos que jogam futebol invadem o espaço das meninas que pulam corda, S. propõe que elas é "que devem ir para a outra ponta do pátio, assim não voltarão a incomodá-las mais".

Por um lado, conhecer os diferentes tipos de análises que nossos(as) alunos(as) fazem das situações de conflito permitirá propor as atividades necessárias para levá-los(as) a diferenciar a manifestação do conflito de suas causas e para ensiná-los(as) a reconstruir os antecedentes do conflito e localizar suas origens. Por outro lado, conhecer suas formas habituais de resposta permitirá introduzir os elementos de reflexão necessários para que questionem as soluções não-autônomas, as mágicas, as violentas e as repressivas, as sexistas, as racistas ou as soluções arbitrárias, que não têm nenhuma relação com as causas. A partir daqui, pode-se iniciar a busca por outro tipo de solução.

Conflitos e soluções

Atividade nº 4: Imaginar diferentes soluções para um mesmo conflito. Desenho e explicação escrita

Objetivos

- Desenvolver a capacidade de imaginar diferentes soluções para um mesmo conflito.
- Desenvolver a capacidade de imaginar soluções autônomas, não-violentas, não-sexistas e não-racistas para os conflitos.
- Desenhar e/ou explicar por escrito diferentes maneiras de solucionar um mesmo conflito.

Indicações metodológicas

Grande parte dos problemas de disciplina escolar tem origem na falta de recursos dos(das) alunos(as) para analisar as situações problemáticas e elaborar formas de solucionar as dificuldades que nelas se apresentam.

a) Com Educação Infantil e primeiras séries do Ensino Fundamental

Esta atividade pretende estimular a busca autônoma de soluções de natureza diversa para problemas que são comuns na escola. Para isso dispõe-se de seis folhas de trabalho (ver anexo: págs. 194 a 196 — folhas 1, 2, 3, 4, 5 e 6) e em cada uma se reproduz um conflito freqüente na vida escolar de meninos e meninas. Cada folha está dividida em quatro partes iguais. Na primeira há o desenho de um conflito entre um menino e uma menina; as três restantes estão em branco.

Organizar a classe em grupos de três pessoas e apresentar o mesmo conflito a todos(as). Comentar de forma coletiva o desenho, explicitando o conflito que representa, e explicar que os três espaços vazios são para desenhar; embaixo deles, devem explicar por escrito três maneiras diferentes de resolver o problema que existe entre os personagens. Pedir que, em grupo, imaginem três soluções diferentes para o conflito e que, antes de anotá-las na folha, as comentem, avaliando os prós e contras de cada uma. Embo-

ra não seja imprescindível o consenso para que uma solução seja avaliada como adequada e, portanto, anotada na folha, deve-se comentar que as melhores idéias são as que, uma vez avaliadas pela equipe, apresentam mais vantagens que desvantagens.

Para que a participação seja geral, cada pessoa deverá imaginar, desenhar e explicar por escrito pelo menos uma solução.

b) Com as últimas séries do Ensino Fundamental

Parte-se de seis fotografias, desenhos ou quadrinhos de gibis que representem conflitos habituais nas instituições de ensino entre meninos e meninas da mesma faixa etária do grupo. Os (as) estudantes devem se identificar com as pessoas que aparecem nas imagens e com o tipo de conflito apresentado.

Deve-se organizar a classe em grupos de quatro ou cinco pessoas, apresentar a imagem de um determinado conflito e convidar os(as) alunos(as) a comentá-la coletivamente e explicitar de que conflito se trata. A seguir, cada pessoa recebe uma folha para dividir em três partes; pede-se que imaginem três maneiras diferentes de solucionar o conflito, comentando cada uma delas em uma parte da folha.

Terminada a atividade individual, as pessoas de cada grupo socializam as soluções que imaginaram, avaliam os prós e contras de cada uma e selecionam, dentre todas, as que consideram mais adequadas. Depois desta primeira avaliação, cada pessoa retoma sua produção e explica, se for o caso, o porquê da inadequação de algumas soluções. Desta maneira se estabelece uma continuidade entre o trabalho individual e o trabalho de grupo desejável, já que este se nutre das contribuições individuais e as produções individuais se enriquecem com as críticas e sugestões coletivas.

Atividade nº 5: Comentário coletivo dos trabalhos realizados pelos grupos

Objetivos

- Analisar os passos necessários para chegar à resolução autônoma, pacífica, não-sexista e não-racista dos problemas de relacionamento.
- Comentar e comparar as distintas soluções dadas pelos(as) alunos(as) para um mesmo conflito.
- Tomar consciência de que um mesmo problema tem diversas soluções.
- Tomar consciência de que nem todas as soluções imaginadas para resolver um determinado conflito são adequadas.
- Desenvolver o espírito crítico em relação às soluções inadequadas propostas pelas companheiras e pelos companheiros.

Indicações metodológicas

Este exercício é de suma importância, pois uma boa síntese do trabalho realizado por todo o grupo reverte na melhora do nível individual dos(as) estudantes.

O processo de exposição coletiva realizado anteriormente generaliza-se para toda a classe. Agora cada equipe expõe, em voz alta, as soluções que avaliou como as mais adequadas, e o conjunto da classe considera os aspectos positivos e negativos de cada uma. O(a) professor(a), com suas intervenções, irá ajudá-los(as) a desenvolver o espírito crítico em relação às soluções violentas, sexistas, racistas, não-autônomas, repressivas e todas aquelas que se considerem inadequadas.

Em atividades sucessivas, e se for oportuno, podem-se trabalhar alguns dos outros conflitos.

A seguir apresentamos algumas condutas comuns no momento de propor soluções. Estão acompanhadas de sugestões quanto às formas de intervenção possíveis, de modo a atingir os objetivos que esta atividade propõe.

Condutas inadequadas na hora de propor soluções e maneiras de agir sobre elas

1. A falta de autonomia

É uma tendência freqüente em diferentes idades, mas mais acentuada na Educação Infantil e nas primeiras séries do Ensino Fundamental, inibir-se ante as dificuldades e pedir às pessoas adultas que atuem em seu lugar. O recurso à autoridade da pessoa adulta é uma das respostas que alcançam freqüência mais elevada no primeiro dos conflitos apresentados. Poucos são os grupos que não propõem uma solução na qual a mãe, o professor, a diretora ou o policial age resolvendo o conflito. Eis aqui uma amostra deste tipo de desfecho:

Para desenvolver a autonomia infantil convém erradicar de suas mentes a crença de que é competência dos adultos solucionar seus problemas pessoais. Podemos intervir de diferentes maneiras para conseguir isso:

- Fazendo-os recordar, avaliando positivamente seu comportamento em diferentes circunstâncias nas quais mostraram ser capazes de resolver pequenos problemas de sua vida cotidiana sem receber nenhuma ajuda de pessoas adultas.
- Fazendo-lhes perguntas que os ajudem a relacionar a pessoa que tem o problema com quem tem de resolvê-lo. Assim, por exemplo:

  — Quem tem o problema, a professora ou o menino? Então, quem tem de resolver o problema, a professora ou o menino?

— Este menino é pequeno ou é maior? Tem idéias para resolver seus problemas ou não tem idéias e necessita que sua mãe ou o(a) professor(a) os resolvam?

2. As medidas repressivas

A repressão, como solução para os problemas, é mencionada tanto pelos(as) alunos(as) de menor idade como pelos(as) das séries superiores. Diante de propostas como deixar alguém sem o intervalo do recreio, expulsá-lo(la) da classe ou da escola, deve-se pedir que imaginem que quem tenta solucionar o conflito não quer castigar ninguém, é uma pessoa que se dispõe a ajudar seus protagonistas para que aprendam a evitá-lo em situações futuras. Uma vez centrada a atenção infantil na busca da ajuda necessária, pede-se que se coloquem no lugar de quem agride e que expliquem se gostariam que lhes castigassem expulsando-os da classe, por exemplo. E se pensam que, com tal castigo, o problema não voltará a repetir-se. Imediatamente são incentivados(as) a imaginar como gostariam que os(as) ajudassem nesse caso.

Historia del conflicto

Ha empezado porque alguien la ha insultado y han empezado a pelearse.

Explicacion del conflicto

Hay dos chicas que estan cogiendo a otra chica que quiere ir a pegar a alguien.

Posibles soluciones

① Castigar a las dos con un miercoles de castigo o el metodo que tengan en su colegio.	② Depende como haya sido la pelea de fuerte si hace falta abrir un expediente.	③ No se ninguna mas.

3. O responder à agressão nos mesmos termos

Responder a uma agressão de maneira agressiva — roubar uma coisa do menino que lhe roubou o lápis, insultar a pessoa que está debochando ou empurrar quem acaba de expulsá-lo(la) da fila, por exemplo — é avaliado como adequado pela maioria dos(das) alunos(as), independentemente da idade. É como se a inadequação de uma agressão não dependesse tanto de suas conseqüências como do fato de produzir-se em primeiro lugar. Assim, do seu ponto de vista, a agressão como resposta ficaria automaticamente justificada.

Nossa intervenção estará voltada para ajudá-los(las) a antecipar as conseqüências de uma resposta agressiva ou violenta, a tomar consciência de que, de maneira imediata ou a longo prazo, uma resposta agressiva por parte da vítima provoca outra ação violenta da pessoa que iniciou o conflito, o que, por sua vez, favorece outra resposta agressiva da vítima inicial, que dá lugar a outra resposta agressiva etc. Meninas e meninos devem avaliar não só a descarga imediata da raiva, da dor ou da sensação de injustiça produzidas pela agressão injustificada, mas também as conseqüências, a médio e longo prazo, desse tipo de resposta.

Vejamos como se pode intervir diante de condutas como a de T., que, como solução para o conflito em que uma menina empurra seu companheiro de carteira, desenha o menino que cai agarrando-a "para que ela também caia".

- Se o menino cai da carteira quando a menina o empurra, o que acontecerá?
- Se quando o menino cai agarra a menina para que ela também caia, onde ela cairá? O que então acontecerá a ele?
- Se a menina cai em cima do menino, ele sentirá mais ou menos dor do que quando ele cai sem a menina em cima?
- É uma boa idéia que o menino, para resolver o problema, agarre a menina quando ele cai?

4. As soluções "mágicas" e os finais felizes

Para que as respostas mágicas e os finais felizes, tais como "darem-se as mãos", "não brigar mais", "perdoar-se", "as pessoas respeitarem-se umas às outras" ou "não ser agressivo" ultrapassem o âmbito dos desejos e se transformem em respostas adequadas e realizáveis, necessitam ser conceitualizadas como o momento final — e desejável — de um processo, cuja fase intermediária é necessário explicar. Deve-se responder à pergunta "o que é preciso fazer para passar da situação de conflito para o tão desejado final feliz?". Em conseqüência, as intervenções do(da) professor(a) buscarão que meninas e meninos concretizem os passos necessários para superar a situação conflituosa. A conduta de B. servirá como referência para a intervenção.

- Se o menino atira uma pedra na cabeça da menina e acerta, o que acontecerá a ela? A pedra irá machucá-la?
- O que sentirá a menina se ele a tiver machucado? Ficará aborrecida com o menino ou não?
- Se ele a machucou, ela terá vontade de dar-lhe a mão e perdoá-lo?

- O que é preciso acontecer para que a menina tenha vontade de desculpar o menino?
- A menina pode fazer alguma coisa para que ele não volte a lhe atirar pedras e ela tenha vontade de dar-lhe a mão e desculpá-lo? O que pode fazer?

5. As propostas de diálogo

As propostas de diálogo, tais como "que falem calmamente", "que conversem e resolvam" ou "conversar com calma sem precisar bater", devem ter conteúdo para que sejam viáveis e, portanto, adequadas. As perguntas apresentadas ao grupo buscam concretizar tais propostas, especificar os passos a dar para levá-las a bom desfecho.

Por exemplo:

- Do que falarão os dois personagens que brigaram?
- Quem começará a falar?
- O que dirá a pessoa que começa a falar para a outra, para que esta também queira falar?

Historia del conflicto

Esta chica del chandal adidas se ha metido con un chico porque en su clase ha habido muchos robos por culpa de el. El chico se lo dice a su familia, y una prima del chico, la quiere pegar.

Explicación del conflicto

La niña se esta defendiendo, porque el chico y su prima la quieren pegar. Y le dicen que si no la pillan en este parque, le pillan en la calle.

- Por que brigam?
- O que podem fazer para "falar com calma e sem violência" do problema que têm, se cada uma pensa uma coisa diferente?

Posibles soluciones

① Hablando con tranquilidad, y sin violencia.	② Uniendote al enemigo, como dice el refran "Si no puedes contra el enemigo, unete a el".	③ Que se sienten y hablen.

6. As soluções sexistas

A eqüidade entre gêneros merece atenção especial. As respostas sexistas nos conflitos de relacionamento não são exclusivas dos meninos. Algumas meninas também culpam a personagem feminina agredida — o menino atira uma pedra na menina — e propõem, para resolver o problema, que a menina peça perdão a seu agressor. Esta conduta requer intervenções que as ajudem a lembrar quem agride e quem é agredido e a relacionar a pessoa agressora com a que tem de modificar sua conduta. Assim:

- Quem atirou a pedra: a menina no menino ou o menino na menina?
- Se uma menina atira uma pedra em um menino, quem tem de pedir perdão, ela ou ele?
- Se um menino atira uma pedra em uma menina, quem tem de pedir perdão, ela ou ele?
- Quem tem de pedir perdão neste conflito?

Se a conduta é um reflexo de preconceitos sexistas quanto a capacidades ou habilidades das pessoas, como acontece no exemplo que a seguir apresentamos, o objetivo será que diferenciem o sexo dos personagens de seus conhecimentos, de suas capacidades ou habilidades.

Ante uma conduta como esta, iniciamos nossa intervenção pedindo às meninas da classe que formem grupos em três lugares diferentes da classe segundo desenhem muito bem, desenhem mais ou menos ou desenhem mal. Em seguida, e apoiando-nos na lógica de classes, apresentamos perguntas que os levem a analisar as relações entre o conjunto "meninas" e os subconjuntos "desenhar muito bem", "desenhar mais ou menos" e "desenhar mal":

- Todas as meninas sabem desenhar muito bem? ("Não.") Por quê? ("Porque há meninas que desenham mais ou menos e outras que não sabem desenhar.")

- Todas as meninas desenham mais ou menos? ("Não.") Por quê? ("Porque há as que desenham muito bem e outras que não sabem desenhar.")
- Todas as meninas "não sabem desenhar"? ("Não.") Por quê? ("Porque há meninas que desenham muito bem e meninas que desenham mais ou menos.")

Se a seguir repetimos o processo com o grupo dos meninos, pedindo que formem grupos em três lugares diferentes da classe e utilizando o mesmo procedimento, faremos com que também relacionem corretamente o conjunto dos meninos com os subconjuntos correspondentes (desenham muito bem, desenham mais ou menos e desenham mal). Deste modo preparamos o terreno para a última fase.

Quando, finalmente, fazemos quantificar e comparar os subconjuntos das meninas com os correspondentes dos meninos, conseguimos que a diferenciação entre o fato de ser menina ou menino e a destreza para desenhar fique clara:

- Todas as meninas sabem desenhar muito bem? Todos os meninos sabem desenhar muito bem?
- Todas as meninas "não sabem desenhar" — ou "desenham mal"? Todos os meninos "não sabem desenhar"?

Esclarecer que entre meninas e meninos não há diferenças hierárquicas é uma das condições necessárias para a resolução adequada dos conflitos de relacionamento. Enfatizar o valor positivo de uma ética baseada na eqüidade entre gêneros é um dos instrumentos de que dispomos para combater as relações de poder entre eles.

7. As soluções que só agem sobre a manifestação do conflito

Para finalizar, vamos falar sobre as soluções que propõem agir só sobre as manifestações do conflito. "Que alguém os separe", sugere F., para resolver um conflito no qual dois personagens brigam.

Uma vez mais, é preciso que deixem de avaliar só os efeitos imediatos de suas ações e passem a prever, também, suas conseqüências a longo prazo. Podemo-nos apoiar em perguntas tais como:

- O que acontecerá se outras pessoas conseguem separar as duas que estão brigando?
- Quando as que as separaram vão embora, o que farão as duas pessoas que brigavam? Não voltarão mais a brigar?
- Por que brigavam?
- Além de separá-las, o que mais se pode fazer para que não voltem a brigar?

Soluções adequadas e maneiras de agir sobre elas, potencializando-as

O desenvolvimento, por parte dos(das) alunos(as), de atitudes críticas quanto às soluções inadequadas tem de ser acompanhado de um desenvolvimento de atitudes críticas, agora positivas, em relação a fatos e condutas que consideramos desejáveis na gestão autônoma dos conflitos. Por esta razão, a exposição coletiva também será o momento no qual comentaremos os seguintes aspectos:

1. A riqueza que supõe a diversidade

Há semelhanças e diferenças entre as condutas dos diferentes grupos ou pessoas. A resolução de um mesmo problema de diferentes maneiras por pessoas diferentes é uma mostra da diversidade e da pluralidade de opiniões que existem na classe.

2. O bom nível de elaboração de algumas respostas

Há desenhos e textos que ilustram de maneira muito clara como se comportam os personagens para resolver seu problema. Já em outros casos, se expressa o desejo de resolver o conflito de maneira pacífica, mas não se dão indicações precisas sobre o caminho que o personagem deve seguir para tornar realidade seu desejo.

3. As soluções adequadas

Como exemplos de soluções desejáveis, podemos mostrar produções nas quais: a personagem agredida pergunta ao agressor se gostaria que lhe fizessem o mesmo que ele está fazendo; o agredido se interessa pelas razões da agressão para poder atuar sobre elas; se explicitam as condições para um intercâmbio que favoreça as duas pessoas que protagonizam o conflito; se fala de diálogo especificando os termos em que este deve desenvolver-se.

Mensagens espontâneas entre meninas e meninos

Atividade nº 6: Brincar de trocar mensagens

Objetivos

- Estudar as relações interpessoais entre iguais.
- Analisar os conflitos que surgem nas atividades lúdicas.
- Buscar comportamentos nas relações interpessoais que facilitem a presença de aspectos positivos e a eqüidade entre gêneros.
- Introduzir modelos de relacionamento que superem os estereótipos sexistas.

Indicações metodológicas

Explica-se aos(às) alunos(as) que vão participar de um jogo com bola, no qual a rapidez das respostas tem um papel importante. Após se colocarem em círculo, recebem a bola para começar o jogo. Deve-se explicar que, cada vez que uma pessoa lançar a bola, deverá dizer alguma coisa para quem a receber. Essa pessoa deverá, então, responder rapidamente ao que lhe disseram e, em seguida, lançar a bola para outro membro do grupo, dizendo-lhe outra frase. Deve-se insistir para que respondam o mais rapidamente possível.

A título de exemplo, o(a) professor(a) pode fazer vários ensaios lançando a bola tanto para meninas como para meninos. Em seguida, inicia-se a atividade e os(as) alunos(as) ficam livres para encadear suas intervenções.

O(a) professor(a) registrará o desenvolvimento do jogo, anotando quem escolhe cada menina e cada menino e o que se dizem. Uma vez finalizado o jogo, analisam-se as linhas gerais da dinâmica observada e se elabora uma normativa que iniba as condutas que se deseja erradicar e estimule o desenvolvimento das que se pretende potencializar. Por exemplo, uma conduta muito freqüente entre os meninos, e que sem dúvida alguma prejudica a turma, consiste em passar quase exclusivamente a bola entre eles, excluindo as meninas do jogo. E quando um menino joga a bola para uma menina, a frase que acompanha o lançamento costuma conter alguma agressão verbal. Os exemplos que apresentamos a seguir foram selecionados de diversas aulas nas quais se realizou a experiência.

Para amenizar esta conduta, pode-se repetir o jogo, propondo-lhes, desta vez, duas regras: uma que proíba jogar a bola para pessoas do mesmo sexo e outra que determine que todas as mensagens enviadas têm de ser agradáveis.

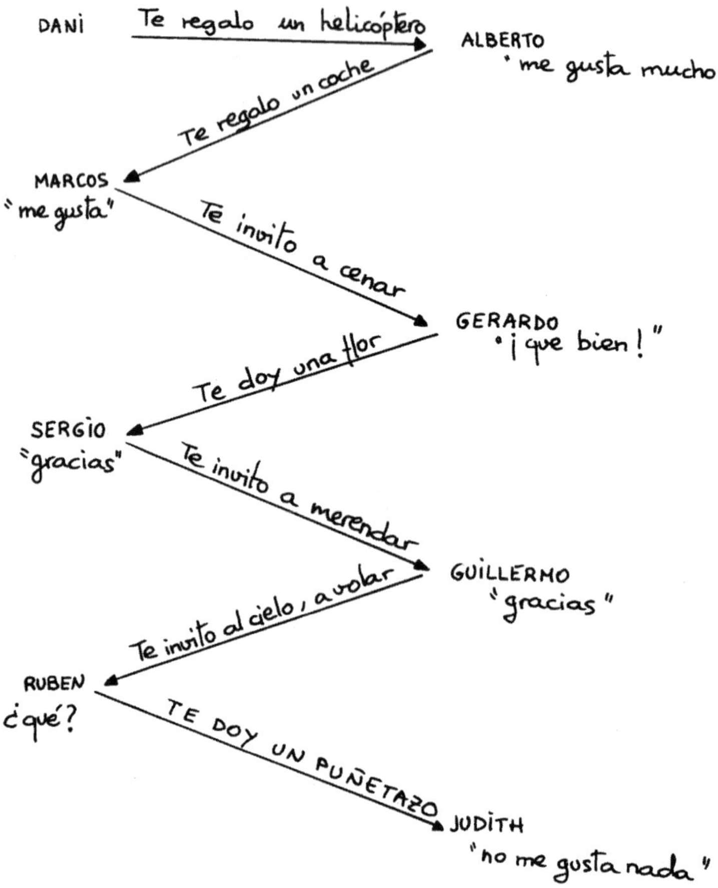

Outro aspecto que se pode neutralizar com este exercício é a limitação dos espaços que tanto as meninas como os meninos sentem como próprios. É muito freqüente elas, ao lançarem a bola,

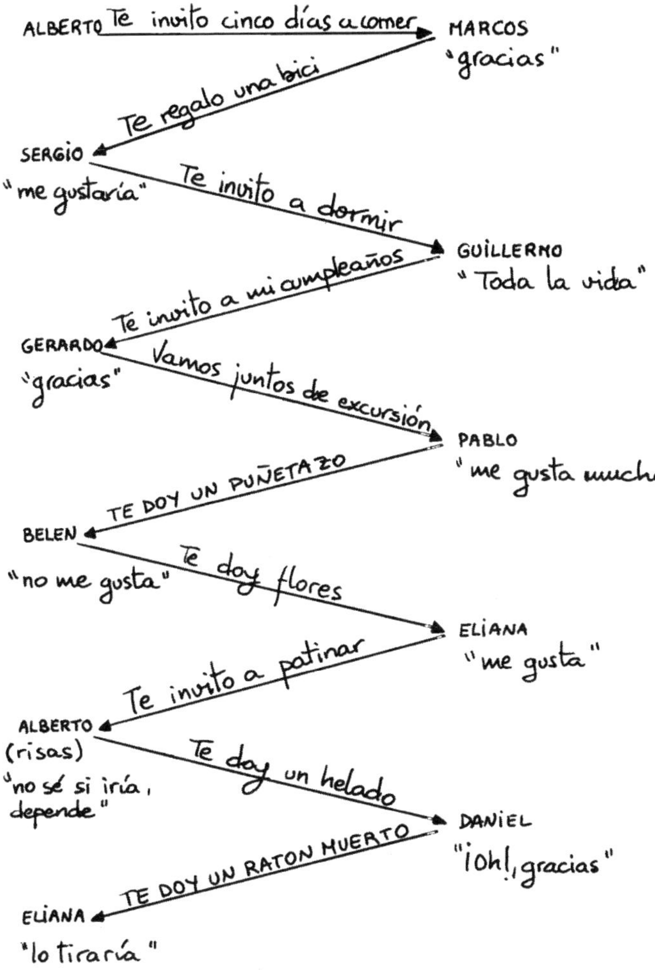

convidarem suas companheiras para irem a suas casas; eles, por sua vez, sugerem outros locais de encontro. Para superar esta exclusão de espaços, pode-se propor uma terceira rodada de jogo, na qual todas as propostas incluam o espaço doméstico, e uma quarta rodada em que todas girem em torno de um espaço público.

Atividade nº 7: Reflexão coletiva sobre as relações interpessoais e os estereótipos de gênero

Objetivos

- Tomar consciência do tipo de relação que provoca sensações agradáveis e quais provocam sentimentos desagradáveis.
- Desenvolver a capacidade crítica em relação a situações que põem em evidência estereótipos de gênero.

Indicações metodológicas

Convém dirigir a atenção coletiva para dois grandes objetivos: a busca de relações prazerosas e a crítica refletida aos estereótipos de gênero.

Comentar em grupo o ocorrido na atividade anterior ajuda os(as) alunos(as) a tomar consciência de suas condutas e a sintetizar a aprendizagem realizada. É o momento de analisar as idéias expressadas durante o jogo, de comparar as situações em que experimentaram sentimentos desagradáveis com as que, ao contrário, provocaram sensação de incômodo; é quando podem dar-se conta de que os insultos ou as ameaças que acompanham os lançamentos da bola são desagradáveis tanto para as meninas como para os meninos. É, também, a ocasião adequada para evidenciar condutas como: lançamentos da bola acompanhados de mensagens agradáveis para quem as recebe, lançamentos que meninas e meninos dirigem tanto para pessoas de seu sexo como para as do sexo oposto e convites que propõem lugares de encontro tanto públicos como privados.

A análise pode ser favorecida com o apoio de perguntas:

- (Dirigida a uma menina que recebeu uma mensagem desagradável.) Quando Ramón lhe disse "vou lhe dar um soco", o que sentiu? Por que não gostou?

- Dentre as mensagens que lhe enviaram, de qual gostou mais? Por quê?
- (Dirigida para o menino que mandou uma mensagem desagradável e recebeu outra como resposta.) Quando Elena lhe disse "tem cara de sapo", o que sentiu? Por que não gostou?
- Qual mensagem você gostaria que lhe mandassem? Por quê?
- (Dirigida a uma menina.) Você gostou de Nuria ter convidado você para jantar em sua casa?
- (Dirigida a um menino.) Você gostou de Gorka ter convidado você para brincar em sua casa?
- (Dirigida a uma menina.) Você gostou de Vicente ter convidado você para ir ao carrossel?
- (Dirigida a um menino.) Você gostou de Elena ter convidado você para ir ao cinema?

Análise e resolução de conflitos hipotéticos

Atividade nº 8: Desenho e comentário escrito das seqüências de uma situação conflitiva

Objetivos

- Desenvolver a capacidade de reconstruir a história de um conflito e de localizar suas causas.
- Tomar consciência de que um conflito pode ser conseqüência de diferentes histórias e, portanto, pode ter diferentes causas.
- Exercitar a análise de soluções e avaliar sua adequação ou inadequação em função da relação que mantêm com as causas do conflito. Evitar as soluções arbitrárias e as injustas.
- Avaliar a adequação ou inadequação de uma solução, independentemente do sexo das personagens envolvidas no conflito.

- Desenvolver comportamentos que facilitem a presença de aspectos relacionais satisfatórios e eliminem as discriminações de gênero.
- Exercitar o raciocínio e a argumentação para evitar disputas e resolver conflitos.

Indicações metodológicas

Esta atividade tem dois objetivos básicos: aprender a detectar e neutralizar as possíveis causas geradoras de conflitos interpessoais e tomar consciência de que as melhores soluções são as que eliminam ou minimizam as causas. Para isso, propomos analisar as distintas fases que alguns dos conflitos freqüentes na vida escolar apresentam.

a) Com Educação Infantil e as primeiras séries do Ensino Fundamental

Na educação infantil e nas primeiras séries do Ensino Fundamental, e sempre a critério do(da) professor(a), é aconselhável realizar este exercício utilizando os desenhos que propomos a seguir (ou outros similares que os(as) próprios(as) alunos(as) podem fazer a partir de conflitos reais que tenham ocorrido em algum momento na escola).

8.1 Imaginar e explicar a história do conflito

Para realizar esta atividade, dispõe-se de seis folhas, sendo que em cada uma aparece um conflito entre uma menina e um menino (ver anexo: págs. 197 a 200 — folhas 7, 8, 9, 10, 11 e 12). Cada folha tem o título "Desenhe o que aconteceu antes e o que você pode fazer para resolver o problema". Os conflitos representam agressões semelhantes às da atividade nº 4, com a diferença de que o sexo dos personagens agressor e agredido está invertido. Cada gravura está dividida em seis quadros. Na terceira está desenhada a manifestação do conflito; as duas primeiras e as três últimas estão em branco.

Deve-se organizar a classe em grupos de três pessoas e entregar para cada um o mesmo conflito. Pede-se que expliquem verbalmente como se nota um conflito entre os personagens e, a seguir, que escrevam isso embaixo do desenho que o representa. Depois de imaginar o que pode ter produzido o conflito, os(as) alunos(as) passarão a desenhá-lo nos primeiros quadros e a completar os desenhos com explicações escritas. O(a) professor(a) irá assegurar-se de que todas as pessoas do grupo colaboram para definir o conflito, imaginá-lo e explicar sua história.

8.2 *Socialização das histórias*

Finalizada a atividade anterior, a classe analisará algumas das produções, considerando os seguintes aspectos:

- Se a manifestação do conflito e as causas estão diferenciadas (1).
- Se são capazes de imaginar a história do conflito e se esta remonta à sua origem (2).
- As contribuições que surgem da reflexão coletiva servirão para melhorar as produções dos grupos, modificando-as se for necessário (3).

Para encerrar, deve-se ressaltar que a origem de determinado conflito pode estar em causas diferentes. Esta conclusão será o ponto de partida da terceira parte da atividade.

(1) Ver atividade nº 3.

(2) Ver atividade nº 3.

(3) Ver formas de intervenção ao finalizar a atividade nº 8.

8.3 Buscar maneiras de solucionar o conflito que tenham relação com as causas explicadas

Cada grupo retomará sua gravura e será lembrado de que inventou histórias diferentes para o conflito que estão trabalhando. Os grupos devem ser estimulados a buscar três maneiras diferentes de solucioná-lo, levando em conta a história que cada grupo inventou.

8.4 Socialização das soluções

Terminada a tarefa, os(as) alunos(as) devem apresentar algumas das histórias e suas correspondentes soluções, que serão analisadas por toda a classe de um duplo ponto de vista:

- Como alternativas autônomas, não-violentas, não-sexistas e não-racistas para os conflitos (4).
- A partir de sua qualidade de justas e não-arbitrárias, isto é, de sua relação com as causas do conflito (3).

Os grupos que propuseram soluções tidas como inadequadas buscarão alternativas em função das contribuições da classe.

Seguindo a mesma metodologia, e a critério do(da) professor(a), serão trabalhados os conflitos que se considerem oportunos, dentre os recolhidos nas cinco gravuras restantes.

b) Com as últimas séries do Ensino Fundamental

Com estudantes mais velhos, pode-se partir de desenhos, fotografias ou gibis que representem conflitos, comuns nas instituições de ensino entre pessoas da mesma faixa etária dos(das) alunos(as) com que trabalhamos.

Também podem ser utilizados textos que, como as fotografias ou os gibis, explicitem somente a manifestação do conflito

(4) Ver atividade nº 5.

(5) Ver formas de intervenção ao finalizar a atividade nº 8.

surgido entre os personagens. Ou, então, podem ser selecionadas imagens de filmes que atendam às condições anteriores para se trabalhar a partir delas. Em todos os casos o procedimento a seguir será semelhante ao que descrevemos para os desenhos.

Formas de intervenção possíveis diante das dificuldades dos(das) alunos(as)

1. A diferenciação das fases do conflito

Como assinalamos na atividade nº 3, os(as) estudantes têm problemas para diferenciar a manifestação do conflito de sua história, para reconstruir a história do conflito e localizar suas causas e para buscar soluções adequadas.

Diante dessas dificuldades, as intervenções terão como objetivo fazer com que recordem o que lhes foi pedido e analisem se sua produção se ajusta a isso ou não. Tomemos como referência a conduta de D.:

Historia del conflicto		Explicación del conflicto
① Se han empezado a insultar por algun juego del patio que a alguno no le ha gustado.	② Entonces se han empezado a insultar.	③ Hay unos niños y unas niñas que estan discutiendo o insultando por algun tema en el patio. A lo mejor se han insultado y ahora se quieren pelear.
Soluciones Pueden solucionarlo hablando como personas.	Llamar a una persona adulta y que haga o resuelva el problema.	

Se analisamos o terceiro quadro, vemos que ele explica não só a manifestação do conflito ("*estão discutindo ou insultando* por algum motivo no pátio"), mas também as causas ("estão discutindo ou insultando *por algum motivo no pátio*"). A dificuldade de diferenciar é tal que as referências à manifestação do conflito voltam a aparecer nos quadros correspondentes à causa ("*começaram a se insultar* por algum jogo do pátio do qual alguém não gostou").

Nossa intervenção buscará centrar os(as) alunos(as), primeiro, na parte correspondente à manifestação do conflito; depois, na correspondente à história, ajudando-os(as), em cada um dos casos, a analisar seu conteúdo. As perguntas poderiam adotar a seguinte forma:

- O que você tinha que explicar no terceiro quadro? (Como se percebe há um conflito.)
- E como se percebe que há um problema entre estes personagens? Por que sabemos que têm um problema? (Porque discutem, se insultam.)
- No terceiro quadro você só explicou como se percebe que há um conflito ou explicou também por que acontece? (Explicou como se percebe — discutem e se insultam — e por que acontece — por um desentendimento.)
- Onde você tem que explicar por que discutem e se insultam? (Nos dois primeiros quadros.)
- Qual a única coisa que você tem que explicar no terceiro quadro? (Que discutem e se insultam.)
- Onde você tem que explicar que é por algum motivo no pátio? (Nos dois primeiros quadros.)
- Por que se aborrecem os personagens? (Por algum jogo do pátio do qual alguém não gostou.)
- Você explicou isso nos dois primeiros quadros? (Sim.)

- Você explicou mais alguma coisa nestes quadros? (Que começaram a se insultar.)
- Onde você tem que explicar que se insultam? (No terceiro quadro.)

2. A reconstrução da história do conflito e a localização de suas primeiras causas

Recordemos alguns dos problemas que tinham para imaginar a história do conflito e localizar suas causas.

2.1 Observemos a conduta de C. A história que explica não tem relação com o conflito que aparece no terceiro quadro.

Por meio das perguntas se tentará fazer com que tome consciência da necessidade de relacionar a história explicada e o conflito que aparece no terceiro quadro.

- O que acontece no terceiro quadro? (O menino empurra a menina.)

- Por que a empurra?
- Onde tinha de explicar por que a empurra? (Nos quadros 1 e 2.)
- O que explicou nos dois primeiros quadros tem relação com o problema que acontece entre o menino e a menina na mesa? (Não.)
- O que tem de explicar nos dois primeiros quadros? (Por que o menino empurra a menina da mesa.)

2.2. Se para explicar o conflito os(as) alunos(as) se referem a um conflito anterior, do qual, por sua vez, não sabem as causas, nossas perguntas podem ter a seguinte forma, se nos referirmos à conduta de N.:

- Por que o menino levanta a saia da menina? (Porque antes ela abaixou suas calças.)
- E por que, antes, a menina abaixou as calças dele? (Porque antes ele levantou sua saia.)

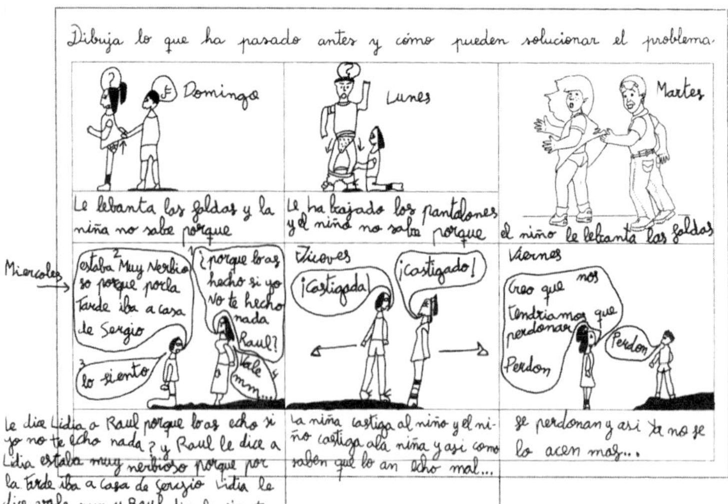

Na hipótese de ser difícil N. continuar retrocedendo até localizar o primeiro motivo do conflito, iremos ajudá-la perguntando-lhe:

- A primeira vez que o menino entrou e a menina teve um problema, quem começou a briga?
- Por que começou se a outra pessoa não lhe tinha feito nada? O que tinha acontecido antes?

3. A relação das soluções imaginadas com as causas do conflito

Buscar soluções que incidam sobre as causas a que se faz referência na história do problema não é tarefa fácil. Como vimos, é o resultado de uma atividade intelectual complexa que necessita de uma série de passos prévios e de relações, a saber:

a) Diferenciar as três fases do conflito — as causas, a manifestação e as soluções.

b) Reconstruir a história do problema até localizar as causas que o explicam.

c) Imaginar soluções não-sexistas, não-violentas, não-racistas, justas e autônomas para resolver os problemas de relacionamento.

d) Buscar diferentes soluções para um mesmo conflito, de tal forma que, se uma delas se mostra inadequada, se possa aplicar uma segunda ou uma terceira.

e) Relacionar as soluções imaginadas com as causas e decidir quais, dentre estas, são as mais adequadas em função de sua capacidade para eliminar ou amenizar as causas.

A complexidade da tarefa é evidente. Superar as dificuldades que a análise apresenta e resolver adequadamente os conflitos é o que define a aprendizagem. Ao longo das atividades deste capítulo, fomos apresentando alguns dos problemas que surgem. Vimos erros relacionados com a diferenciação das fases, comprovamos as dificuldades dos(das) alunos(as) para reconstruir a história e localizar as causas, fomos testemunhas dos seus esforços para buscar três soluções para um mesmo problema e fazer com que, além disso, tais soluções fossem adequadas. Superadas estas dificuldades, na última fase da aprendizagem, e quando se trata de relacionar as soluções com as causas, novos problemas aparecem.

Incapazes de coordenar todas as ações intelectuais necessárias para levar a um bom desfecho a tarefa proposta, uma porcentagem significativa dos(das) alunos(as) de menor idade esquece uma parte do processo. Deixa de lado a história do conflito e age como se este se iniciasse no momento em que se manifesta. Em

conseqüência, as soluções que imagina se referem à manifestação do conflito e ignoram sua história. Podemos encontrar, então, sugestões como as de A., que propõe três soluções nas quais o personagem busca, com suas intervenções, que a menina modifique sua conduta. Não há nada a opor, exceto que, se retomarmos a história do conflito, veremos que o menino, que nas soluções aparece como vítima, na realidade é o responsável.

Para que possam avaliar o grau de adequação das soluções é necessário que recuperem a história esquecida do conflito. Nossas intervenções terão a seguinte forma:

- Como sabemos que há um problema entre a menina e o menino? O que fazem? (Ela atira uma pedra nele.)
- Antes de ela atirar uma pedra, o que aconteceu? (O menino atirou uma pedra nela e a insultou.)
- Quem começou o conflito? (O menino.)
- Se foi ele quem começou a atirar pedras, parece-lhes uma boa idéia, para solucionar o problema, perguntar à menina se gostaria que ele lhe atirasse uma pedra? (Não, porque foi ele quem começou.)
- Qual dos dois teria de dizer ao outro "gostaria que fizessem isso com você?": a menina para o menino ou o menino para a menina? (Ela, porque foi ele quem começou.)
- Se o menino começou a atirar pedras, parece-lhes uma boa idéia, para que o problema não volte a acontecer, dizer à menina que a desculpa, mas que, se voltar a fazer isso, não a desculpa? (Não.)
- Qual dos dois teria de dizer ao outro "desculpo você, mas se voltar a fazer isso comigo não o desculpo": a menina para o menino ou o menino para a menina? (A menina para o menino.)

Generalização para conflitos reais

Atividade nº 9: A resolução de conflitos cotidianos

Objetivos

- Generalizar os conhecimentos aprendidos para situações da vida cotidiana.
- Observar os efeitos positivos gerados a partir do estabelecimento de relações interpessoais satisfatórias.
- Constatar as possibilidades de autonomia na solução de problemas pessoais.
- Desenvolver e analisar as seqüências de situações conflituosas freqüentes na classe.
- Desenvolver a capacidade de falar dos conflitos com as outras pessoas e de refletir conjuntamente sobre eles.

Indicações metodológicas

Com as atividades anteriores, os(as) estudantes desenvolvem uma metodologia adequada de análise e resolução de problemas de relacionamento. Até o momento, porém, só refletiram sobre conflitos hipotéticos, comuns nas instituições de ensino, mas que não têm implicação emocional alguma para eles(elas).

Este duplo requisito, a familiaridade e a ausência de implicação, busca facilitar a reflexão sobre os conflitos, incorporando a metodologia de análise e de resolução que comporta tal reflexão. O fato de conhecerem os conflitos sobre os quais refletem e de estes não terem implicação nos(nas) estudantes no momento da análise ajuda-os(as) a observar os diferentes pontos de vista dos protagonistas.

Se em um primeiro momento refletir sobre problemas facilita o processo de aprendizagem, só quando a metodologia de análise se generaliza para a resolução dos conflitos cotidianos podemos dizer que a aprendizagem é válida. Este processo de generalização não é automático.

Quando se considerar que os objetivos propostos nas atividades anteriores foram alcançados, os conflitos protagonizados pelas pessoas do grupo é que passarão a ser objeto de reflexão do grupo. No início, é a professora ou o professor quem propõe analisar e solucionar os empurrões na fila, os insultos, as trapaças no jogo de futebol, os comentários depreciativos na classe, para as ameaças explícitas ou veladas. Uma ou duas vezes por semana, abordam-se alguns dos problemas mais significativos ocorridos na classe ou fora dela.

Na primeira sessão coletiva, explica-se que há uma pessoa que tem um problema e que necessita da ajuda, delas e deles, para buscar soluções. A seguir, convida-se os que se queixaram da agressão a apresentar o conflito para o resto da classe. Esta primeira versão permite localizar e convocar todas as pessoas envolvidas. Como fizemos com as vítimas aparentes, também às acusadas se pede que expliquem sua versão.

Uma vez conhecidos os diferentes pontos de vista, inicia-se uma segunda fase, na qual se formulam perguntas aos que têm implicação nos fatos apresentados para entender o porquê do problema. Diante da sugestão "podem perguntar a qualquer um que tenha relação com o conflito, para entender muito bem por que aconteceu", as mãos levantam-se. Estabelecida a ordem de intervenções, as perguntas são apresentadas e as dúvidas esclarecidas com as respostas; surgem novas dúvidas que se transformam em perguntas, cada vez mais elaboradas, sobre os motivos do conflito e que dão lugar a explicações progressivamente adequadas.

Por meio das perguntas, não só as pessoas alheias ao conflito chegam a um conhecimento exaustivo sobre ele, mas também seus protagonistas. Para eles, os fatos de terem de recordar a história do conflito para explicá-la e de verem-se obrigados a relacionar sua versão com as das outras partes em litígio supõe reconstruir o problema de forma mais elaborada, completa e rica.

Pode ocorrer de as versões dadas pelas diferentes partes coincidirem, que a pessoa que aparece inicialmente como vítima seja reconhecida como tal por quem, no princípio, aparece como responsável pelo conflito. Neste caso, as perguntas do grupo buscam entender os motivos da "agressão" (entendendo-se o termo, aqui, no sentido amplo de "ato que vai contra os direitos de outra pessoa") e se dirigem, portanto, a quem agrediu. Ou então pretende-se elucidar a conduta da vítima, a quem se dirigem as perguntas.

Pode ocorrer também, com freqüência, que cada uma das partes envolvidas explique o problema de uma maneira diferente e até contraditória. Se não houver clareza quanto às responsabilidades, as perguntas buscarão, então, não só entender, mas também estabelecer consenso entre as diferentes versões até que se consiga uma seqüência dos fatos comum a todas as partes envolvidas.

Quando se esclarecem os motivos do conflito e se reconhecem as responsabilidades correspondentes, abre-se uma nova rodada de intervenções, na qual se propõem idéias para solucioná-lo. Como em atividades anteriores, cada solução proposta é analisada de maneira crítica pelo grupo. Aquelas tidas como inadequadas são desconsideradas; as avaliadas como justas e adequadas são mantidas. Os que as apresentaram escrevem-nas em uma folha e, depois de assinadas, as oferecem a quem tem o problema para que as coloque em prática e comprove sua eficácia. Depois de certo tempo, o grupo revê o conflito e valida, ou não, as soluções imaginadas.

É importante destacar que, neste processo, o mais importante não é resolver um conflito específico — a cuja solução seria possível chegar de maneira mais rápida e econômica —, mas, sobretudo, fazer com que os(as) alunos(as) aprendam, na prática, formas refletidas e eficazes de resolver conflitos reais. Esta aprendizagem acontece por um processo que, como o de qualquer conhecimento complexo, requer tempo.

Se em um primeiro momento é a professora ou o professor que recolhe os conflitos que os(as) alunos(as) protagonizam e propõem que sejam objeto de reflexão, posteriormente são elas e eles que reivindicam espaço e tempo para tratar de seus problemas. Quando comprovam a eficácia de um grupo de 25 pessoas analisando os problemas conjuntamente e buscando respostas para eles, começam a solicitar a intervenção da classe. Esta nova etapa costuma iniciar-se com um "tenho um problema", dirigido ao professor ou à professora, e um "quero que me ajudem a buscar idéias para resolvê-lo".

É um bom momento para oferecer-lhes um espaço físico — um pedaço de cortiça ou de papel manilha fixado na parede — no qual "fixar" seus problemas de relacionamento. Deve-se explicar que, a partir desse momento, quando tiverem problemas e quiserem que as companheiras e os companheiros os(as) ajudem a resolvê-los, podem escrevê-los em um pedaço de papel, datá-los e "fixá-los". Deve-se dizer que durante a semana se dedicarão, em uma ou duas aulas — em função da organização do trabalho da semana e do número de pessoas que esperam a vez para falar do seu —, a tratar dos problemas apresentados no mural. A data que aparece em cada papel determinará a ordem em que serão discutidos.

A análise coletiva de conflitos cotidianos permite-lhes ampliar a metodologia aprendida em atividades anteriores para a variada problemática emocional e de relações interpessoais com que se defrontam no dia-a-dia. Há um momento em que observamos que a metodologia de análise e resolução de conflitos está tão presente que, em uma situação conflituosa e de maneira automática, buscam reconstruir as diferentes versões explicadas, tratam de estabelecer consenso, fazem perguntas até localizar as causas e, espontaneamente, começam a pensar em soluções que incidam sobre estas. Quando isto ocorre é hora de elas mesmas e eles mesmos agirem como "pessoas reguladoras" nos conflitos das outras pessoas. É um passo a mais em um processo de aprendizagem que, em última instância, pretende que se desenvolvam como pessoas autônomas capazes de prever os problemas interpessoais e apresentar os meios para que não se desencadeiem ou, uma vez desencadeados, enfrentá-los de maneira adequada.

A partir de agora, os conflitos já não são tratados apenas pelo conjunto da classe uma ou duas vezes por semana e com a professora ou o professor como elemento mediador. Há também outra figura, a "que media problemas", e em outros momentos — recreio ou alguns instantes durante as aulas. A cada semana uma pessoa diferente do grupo assume o papel de "mediadora de problemas". Os conflitos do recreio, os dos corredores, os do refeitório e, inclusive, os que acontecem dentro da sala de aula não têm de esperar sua vez para serem tratados pelo grupo. As supostas vítimas (nem sempre as reais vítimas, uma vez reconstruída a história) procuram quem "ajuda a resolver os problemas". Esta pessoa, e não a professora ou o professor, é que nesse momento colocará em prática todo o processo até conseguir soluções satisfatórias.

Desta forma, todos os membros do grupo aprendem e assumem a responsabilidade de resolver conflitos. Cada um, por ordem, irá encarregar-se de fazê-lo por uma semana. Este membro do grupo reunirá todas as partes envolvidas e as levará para a classe — se o conflito acontecer no pátio — ou para fora da classe, em um lugar adequado para analisar tranqüilamente o problema — se o conflito ocorrer na classe e a dinâmica desse momento permitir. Ela ou ele organizará o tempo para explicar as diferentes versões, ajudará a reconstruir uma história que integre todas e, também, incentivará todas as pessoas envolvidas a imaginar, com ela ou ele, maneiras de intervir sobre as causas do conflito. Como ocorre nas atividades coletivas, as idéias que se avaliam como adequadas são anotadas em um papel para serem postas em prática.

Por fim, espera-se que meninas e meninos possam empregar a metodologia de análise e resolução de conflitos aprendida quando se defrontam com seus próprios problemas. Em outras palavras, o bom nível de autonomia é aquele em que cada pessoa é capaz de resolver seus próprios conflitos sem necessidade de uma terceira pessoa, alheia ao problema.

Um exemplo ilustrativo: o problema de Miréia e de Isabel

O conflito de Miréia e Isabel com Sérgio, Manuel e Geraldo servirá para ilustrar o desenvolvimento de uma atividade de análise de um conflito com a classe, atuando a professora como mediadora. Cinco pessoas, junto com outras da classe, disputam uma partida de futebol durante o recreio. As meninas pertencem a uma equipe, e os meninos, à equipe adversária.

Como vinha acontecendo havia um mês, e uma vez acabada a primeira parte da aprendizagem, às terças-feiras e às quintas-feiras dedicávamos uma parte da aula para analisar os conflitos que haviam ocorrido ao longo da semana e dar resposta a eles. Naquela terça-feira, tiramos do mural o papel mais antigo entre os que estavam fixados. Era o de Miréia e Isabel.

Os diálogos que apresentamos a seguir são uma seleção das intervenções que se realizaram durante a atividade. Com ela pretendemos ilustrar, de maneira clara, dois momentos do processo. Se em uma primeira fase os esforços dos(das) alunos(as) se voltam para delimitar o conflito e seus protagonistas, na segunda fase a atividade intelectual centra-se na busca de soluções que realmente constituam uma alternativa para o problema.

A importância da fase inicial é tal que, como veremos, pode levar, inclusive, a reapresentar os termos nos quais se define o conflito. Reconstruir sua história e localizar suas causas leva, freqüentemente, a explicitar problemas ignorados em um primeiro momento e a ampliar o leque de responsabilidades inicialmente contempladas. O caso em questão permitirá que comprovemos como pessoas que, em um primeiro momento, só apareciam como vítimas, acabam responsabilizando-se pelo conflito. Em última instância, e durante esta primeira fase de análise, consegue-se fazer com que o problema deixe de ser um confronto entre determinados indivíduos do grupo para constituir uma busca cognitiva e afetiva para todos os integrantes do grupo.

Adentremo-nos já no conflito. Miréia e Isabel formam, junto com Carmen, Ana e Dario, uma das equipes de futebol. Manuel, Geraldo e Sérgio são, junto com Mário e Pablo, os integrantes da outra equipe. Ocasionalmente se acrescentam, a uma ou outra equipe, outras pessoas da classe. Miréia e Isabel explicam o problema que têm com Manuel, Geraldo e Sérgio.

Professora (dirigindo-se a Miréia e Isabel) — Expliquem o problema.

Miréia — É que quando jogamos futebol, Manuel, Geraldo e Sérgio, quando eles usam as mãos, não contam!

Isabel — Sempre trapaceiam.

Professora (dirigindo-se às duas meninas) — Quem tem este problema?

Carmen — Miréia e Isabel têm.

Professora — Vamos começar a fazer perguntas para entender o problema. Temos de saber por que acontece. Pensem bem o que querem perguntar.

Levantam-se muitas mãos. As perguntas que dirigem às pessoas envolvidas ajudarão a concretizar e matizar o problema e a localizar seus protagonistas.

Carmen — Quero perguntar para Miréia e Isabel. (Dirigindo-se a elas) Que trapaças fazem?

Isabel — Por exemplo, quando eles usam as mãos, não conta!, não contamos!

Miréia — E também por outra coisa, porque sempre, no nosso gol, levam a bola. Quando têm a bola na mão, vão correndo, a deixam no chão e chutam no nosso gol.

Carmen — Também acontece outra coisa. Quando nós fazemos gol, dizem que não é gol e pegam a bola e vão correndo para o nosso gol e a chutam e dizem que é gol.

Professora — Quer dizer que a pegam com as mãos?

Sérgio — Sim, e quando chegamos no outro gol chutamos.

Professora — E quem faz isto?

Isabel — Manuel, Pablo...

Mário — Dario também faz.

Carmen — Geraldo...

Sérgio — Eu sim, às vezes também faço.

Manuel — Eu, às vezes.

O problema parece delimitado e seus protagonistas reconhecem sua responsabilidade nos fatos. Junto a Manuel, Pablo, Geraldo e Sérgio apareceu em cena Dario, da equipe das meninas. Porém, logo comprovaremos que é só uma primeira aproximação ao conflito. As perguntas continuam.

Jaime — Quero perguntar para Manuel, Geraldo e Sérgio. Por que usam as mãos e dizem que não usam? Por que falam que não usam e quando Dario pega a bola com as mãos, sim?

Sérgio — Olha, às vezes... Dario sempre quer jogar conosco (a equipe dos meninos) quando jogamos, mas joga com a equipe delas. Então vai e trapaceia. Dario sempre entra na equipe das meninas, não é? E para nós é fácil marcar um gol, não é? Por exemplo, pegamos a bola e vamos para a frente do gol e chutamos e marcamos gol. Então Dario fica mal-humorado e pega a bola rapidamente, vai para o meio do campo com a bola nas mãos e, quando chega no meio do campo, chuta.

Professora — E vocês, então, o que fazem?

Sérgio — O mesmo.

No processo de análise do conflito é fundamental que as explicações oferecidas contrastem com a realidade, que as versões formuladas tenham consenso entre todas as pessoas envolvidas.

Professora — (dirigindo-se às meninas e a Dario) — É verdade o que Sérgio disse, que Dario quase sempre vai com vocês e trapaceia quando se aborrece porque fizeram um gol neles?

Miréia e Dario — Sim.

Isabel — Sim, mas às vezes eles começam.

Professora — É verdade que às vezes vocês começam?

Sérgio — Sim, às vezes fazemos isso porque queremos.

Professora — Deixe-me ver se entendo. Às vezes é Dario, que está na equipe das meninas, que começa a trapacear e...

Sérgio — Às vezes nós começamos.

Professora — E elas continuam quando vocês começam a trapacear?

Sérgio — Elas, elas... não. Mas sabe o que fazem? Quando Dario faz isso, quando começa a trapacear, vêem que nós pegamos a bola e vamos até lá... porque elas não sabem o que Dario fez... e então nós pegamos a bola e vamos até seu gol e chutamos, porque Dario fez isso antes, e então elas ficam com raiva, porque não sabem o que Dario fez, e então vão e fazem o mesmo. Por isso depois nós também continuamos fazendo a mesma coisa.

A versão de Sérgio não anula, contudo, a versão inicial das meninas. Assim Isabel recordou e eles aceitam sua parte de responsabilidade. Nas origens do problema agora temos duas fontes de conflito: Dario e a equipe dos meninos. É importante conhecer os motivos de cada uma das partes.

Lídia — Queria perguntar para Sérgio. Por que faz isso, pegar...? ai!, é para Dario que quero perguntar. Por que faz isso com a bola?

Dario — Por que me dá muita raiva.

Lídia — Por que lhe dá raiva?

Dario — Porque eles têm mais gols... e então dizem não... Eles, eles... É que as meninas, e às vezes eu, marcamos gols e eles dizem que não... e me dá raiva.

Professora — Por que lhe dá raiva? O que queria?

Dario — Porque queria mais gols.

Professora — Para quê?

Dario — Para ganhar.

Irene — Eu queria perguntar para a equipe dos meninos. Quando vocês começam a trapacear, por que fazem isso?

Geraldo — Eu sei por que faço. Porque Manuel e Sérgio fazem isso.

Miréia — Ah! E se eles se jogam no buraco também faz isso?

Geraldo — Não, nem pensar!... Já sei, não era por isso. Porque quero ganhar.

Irene — Também quero perguntar isso para os outros: Manuel, por que faz isso?

Manuel — Porque gosto e quero ganhar.

Geraldo — Eu também. Porque no pebolim, sempre, quando meu pai está ganhando de mim, pego a bola e empurro com a mão quando não está vendo.

Professora (dirigindo-se a Sérgio e Pablo) — E vocês?

Sérgio — Porque me sinto bem e gosto.

Pablo — Porque sempre quero ganhar.

Da troca de perguntas e respostas surge o desejo de ganhar como origem dos conflitos. Um desejo que leva a equipe dos meninos a trapacear para garantir o triunfo e que provoca em Dario a frustração e a raiva que o levam a tentar compensar o fracasso trapaceando também.

Pablo — Quero dizer uma coisa. Às vezes vêem que estamos ganhando, não é? Por exemplo, jogam Carmen, Miréia, Isabel, Ana... Vêem que estamos ganhando e então começam a trapacear sempre. Dario fazendo faltas...!

Professora — Mas quem começa a trapacear?

Pablo — Ora, todas!

Professora (dirigindo-se às meninas) — É verdade?

Ana — Não!, primeiro Dario começa, depois eles e depois nós.

Professora — Pablo, é verdade que às vezes acontece isso que Ana está falando?

Pablo — Sim.

Professora (dirigindo-se às meninas) — Mas Pablo diz que outras vezes são vocês que começam a trapacear. É verdade, Isabel?

Isabel — Não!

Sérgio — Como não?! Olha, às vezes quando... às vezes Ana não quer que Dario vá para sua equipe... Dario vai para sua equipe e então se aborrece.

Professora (dirigindo-se às meninas) — Pode ser que alguma vez tenha acontecido isto que Sérgio está dizendo?

Isabel e Ana — Sim, às vezes.

Miréia — Muitas vezes.

Professora — Deixe-me ver se entendo. Vocês se aborrecem porque Dario está na equipe de vocês?

Isabel — Não, porque Dario, quando vem para nossa equipe, às vezes quer trapacear. E então, claro...!

Professora — Ou seja, se aborrecem no começo, antes de começar a jogar, porque Dario entra na sua equipe e sabem que irá trapacear?

Ana — Porque sempre, quando vem para nossa equipe, trapaceia.

Em muitas ocasiões, a reconstrução da história do conflito acaba transformando o modo como havia se apresentado inicialmente. As vítimas iniciais transformaram-se, também, em co-responsáveis pelo problema. Deixar de se ver somente como quem sofre o conflito e passar a ver-se, também, como quem, em outros momentos, o provoca supõe um nível de amadurecimento importante.

Já não são duas, mas três as fontes do conflito: Dario, as meninas que jogam com ele e a equipe dos meninos. Dedicar tempo suficiente para reconstruir a história do conflito e para delimitar suas causas é apresentar as bases para que, posteriormente, as soluções sejam justas.

Professora — Vamos ver se esclarecemos o problema e podemos começar a buscar soluções. Às vezes Dario começa a trapacear pois vê que a equipe dos meninos ganha porque tem mais gols que sua equipe e ele queria ter mais gols. Outras vezes acontece que são as meninas que começam a trapacear porque os meninos sempre põem Dario em sua equipe e sabem que irá trapacear. E, outras vezes, quem começa a trapacear é a equipe dos meninos que não é a de Dario. É verdade?

Vozes da equipe das meninas e da equipe dos meninos — Sim.

Recordar as diferentes causas do conflito ajuda a sintetizar o explicitado até o momento e prepara as trocas posteriores. Estabelecer consenso entre as diferentes histórias do conflito com seus protagonistas é a condição para reconstruir uma visão do problema, neste caso múltiplo, que inclua todas as histórias. Definidos os problemas e localizadas suas primeiras causas, é o momento de começar a imaginar soluções que as minimizem ou eliminem.

Professora — Agora que já sabemos quais são os três problemas, vamos propor idéias para solucioná-los.

Luís — Quando as equipes trapacearem, a que começa... que as outras não continuem porque depois será pior.

Professora — Por que será pior?

Luís — Porque depois todas continuarão trapaceando.

Professora — Então, se uma equipe começa a trapacear, o que a outra equipe pode fazer?

Carmen — Falar para eles não trapacearem.

Professora — E se continuam trapaceando?

Dario — Que as outras pessoas não as imitem. Que não as imitem e fica tudo bem.

Com sua proposta, Luís começa a desmontar o prejulgamento segundo o qual a pessoa que sofre o conflito só pode responder a quem o provoca nos mesmos termos. No entanto, para que a formulação não deixe desprotegido(a) quem sofre as conseqüências do problema, é necessário elaborá-la muito mais.

Professora — Mas se continuam trapaceando, a equipe que não faz isso agüenta e tudo bem?

Pablo — Não, que quando Dario começar a trapacear nós falamos para a equipe das meninas que ele começou.

Professora — E elas, o que podem fazer?

Pablo — Não fazer o mesmo, porque senão, por culpa dele, o jogo acaba.

Professora — E se ele continua trapaceando?

Luís — Falar para ele que pare, porque senão eles também começarão a trapacear.

Miréia — E se ainda assim trapaceia?

Dario — E se eu não fizer mais isso?

Professora — Dario, se as meninas de sua equipe lhe pedem que não trapaceie, acha que agüentará não fazer mais isso?

Dario — Sim.

Professora — (dirigindo-se a elas) — Parece uma boa idéia para vocês?

As meninas — Sim.

Ao imaginar maneiras de neutralizar a pessoa que origina o problema, Pablo aperfeiçoa a primeira idéia de Luís. Diferenciando, naquela equipe, as pessoas que começam a trapacear das que não começam, transforma as meninas, que também sofrem as conseqüências das trapaças de Dario, em pessoas ativas que podem tomar medidas para evitar que o conflito se perpetue.

Isabel — Eu tenho outra idéia. É pegar um pouco a idéia de Pablo... Vamos ver a lista de organização do futebol e, então, quem estiver na vez de organizar que lhe fale... que eles, que a equipe de Geraldo, Sérgio e Manuel, que lhe falem que Dario está trapaceando. Então, quem organiza, se está ali, que fale para ele que pare de trapacear.

Maria — E se Dario não atende?

Isabel — Mas se colocamos a norma de que se tem que atender a quem organiza o futebol!

Professora — Acha que é uma boa idéia, Dario?

Dario — Sim.

Sérgio — E quando for a vez de Dario organizar? Poderá trapacear?

Ana — No dia em que for a vez de Dario organizar... quando for a sua vez de organizar, pulamos ele!

Sérgio (apontando a lista de organização do futebol, pregada na parede) — Nããão, o nome dele está ali!, tem que organizar!, nós colocamos ele! É como se eu quisesse organizar quando fosse a minha vez e não me deixassem.

Aperfeiçoando a idéia de Pablo, Isabel propõe que uma terceira pessoa, totalmente alheia ao conflito, intervenha em sua resolução. Aparece a figura da pessoa que organiza o futebol.

Isabel está fazendo referência a uma lista elaborada como resposta a um conflito anterior: três pessoas queixavam-se de que um menino da classe sempre organizava o jogo de futebol. Uma das soluções imaginadas nesse momento consistiu em elaborar uma lista, com os nomes de todas as pessoas que quisessem jogar futebol e organizar. Iniciou-se um revezamento no qual, a cada semana, era uma pessoa da lista que "comandava", que organizava as equipes segundo alguns critérios que também foram decididos conjuntamente. A autoridade desta pessoa, como a das normas elaboradas e validadas pelo conjunto da classe, é reconhecida por todo o grupo.

A solução proposta pela menina apresenta, porém, alguns pontos frágeis, derivados, exatamente, da necessidade de respeitar a norma. Para responder às dificuldades será necessário imaginar outras alternativas.

Professora — Então, o que se pode fazer se, no dia que for a sua vez de organizar, Dario trapaceia?

Eduardo — Tenho uma idéia. Olha, se Dario continua trapaceando, quando ele organizar nós não jogamos futebol!

Isabel — E se nós quisermos jogar futebol?

Eduardo — Então jogamos futebol com outro, com aquele que vem depois de Dario na lista. Passamos para o seguinte da lista e vamos para outro lugar jogar; organiza quem vem depois na lista.

Carmen — Mas se é a vez dele organizar!

Eduardo — E se Dario quer organizar, que jogue sozinho. E nós vamos para outro lugar jogar outra partida. E Dario que jogue sozinho com uma bola. E naquele jogo, ele que comande, mas no futebol não!

Dario — E se não quero jogar outro jogo?

Eduardo — Faça o que quiser, vai comandar onde quiser.

Professora — E se só há uma bola?

Geraldo — Falamos com a Sara (outra professora), se pode deixar para nós uma de sua classe.

Eduardo — Sim, mas Dario teria que buscar sua bola, porque é ele que tem o problema. E os outros, ao contrário, ficariam com a bola e Dario que buscasse outra, que foi quem criou o problema.

Professora — O que acham da idéia?

Diversas vozes — Boa!

Com sua proposta, estreitamente ligada à de Isabel, Eduardo consegue relacionar a necessidade de as vítimas se transformarem em pessoas ativas que mudam a realidade quanto às normas que, como coletivo, elaboraram. Daqui por diante, a idéia de que uma terceira pessoa, alheia ao conflito, intervenha nele, mediando-o de uma ou outra maneira, irá consolidando-se.

Mário — Se Dario trapaceia, falamos para o Sérgio, que é a sua vez de resolver os problemas... Falamos para quem é o responsável e resolvemos o problema. E fica tudo bem!

Professora — O que falariam para Sérgio?

Mário — Sérgio, Dario trapaceia e nem liga.

Professora — E o que você faria, Sérgio?

Sérgio — Iria falar para ele me explicar o que aconteceu. E falaria para achar soluções.

Professora — Faria isso só com ele ou com mais alguma pessoa?

Sérgio — Com Mário também.

Carmen — Por que com Mário?

Dario — E com os meninos. Porque todo mundo tem o problema, porque trapaceiam.

Professora — Quem procuraria, além de Dario?

Sérgio — As meninas.

Geraldo — E a nós também, porque também trapaceamos!

Professora — Mas se é Dario quem começa a trapacear...

Isabel — Ah, já sei! Nós e eles (a equipe dos meninos) para que nós também expliquemos a história do que aconteceu.

Aproveitando a idéia de Isabel, Mário propõe que a pessoa que vai intervir no conflito seja a "mediadora de problemas", uma figura que já atua na classe no momento. Com ela, as respostas para os conflitos deixarão de se basear apenas na autoridade de uma pessoa e passarão a ser objeto de análise por todo o grupo envolvido no problema.

Dario — Se eu trapaceio, que então seja o juiz.

Geraldo — Mas nós também trapaceamos.

Professora — Então, para quem serve também tudo o que estamos dizendo?

Geraldo, Mário, Manuel e outras vozes — Para nós...

Jaime (indignado) — Quero dizer uma coisa... isso de tirar Dario da lista de organizar o futebol... que fique claro... Atenção vocês que têm a idéia de tirar Dario da lista e tudo isso! Vocês gostariam de ser tirados da lista quando for a sua vez de organizar o futebol? Ou que deixassem vocês plantados e não deixassem vocês jogar?

Carmen — Mas se trapaceia! É porque trapaceia!

Irene — Jaime, se pulamos Dario na lista é por causa disso que Carmen falou. E depois, quando voltar a cumprir as regras e não trapacear mais, voltamos a colocar ele na lista.

Jaime (agora já muito indignado) — Mas isso só serve para Dario? E para os outros? Só serve para Dario e Geraldo e Manuel? E, por exemplo, se o Eduardo quer jogar futebol e trapaceia, não pularemos ele na lista? Que coisa!

Carmen — Não, serve para todo mundo.

Jaime (ainda indignado) — Mas você não disse isso!

Pablo — As regras servem para todo mundo.

Miréia — Mas Manuel, Geraldo e Sérgio criaram o problema...

Professora — Tudo o que estamos dizendo...

Carmen — É para todos.

Professora — Para todos e para todas o quê? O quê?

Sônia e outras vozes — Que trapaceiam.

Manuel e Mário — E que jogam futebol.

Professora — O que acham da idéia de Jaime e de Pablo?

Muitas vozes — Boa!

Até a intervenção de Geraldo, as soluções tinham-se centrado na responsabilidade de Dario e deixado de lado a das outras pessoas de uma e de outra equipe. Com sua observação, Geraldo inaugura um discurso que contempla todas as responsabilidades, que generaliza as normas.

Os conflitos das pessoas adultas

Atividade nº 10: Os conflitos das pessoas adultas: comentário de cenas cotidianas

Objetivos

- Detectar as idéias dos(das) alunos(as) sobre o tema.
- Aprender a descrever relações de pessoas adultas em diversas situações e contextos.
- Trocar opiniões sobre problemas de convivência entre a população adulta.
- Valorizar a comunicação entre as pessoas como um meio de expressão e troca de opiniões.

Indicações metodológicas

É freqüente, em suas relações com as crianças, as pessoas adultas quererem dar de si mesmas uma imagem perfeita e evitarem falar das dificuldades que encontram para resolver os problemas de sua vida cotidiana. Esta imagem idílica leva meninas e meninos a substituir seu interesse em aprender a resolver os conflitos pelo interesse em aprender a escondê-los. Parece-lhes lógico pensar que, se as pessoas adultas são perfeitas, também elas e eles devem ser.

Nesta atividade se oferece para reflexão a imagem de uma população adulta mais humana, mais próxima dos problemas e das inquietudes que elas e eles experimentam em sua própria vida. Ao lhes dar a oportunidade de considerar que os adultos também têm conflitos e têm de se esforçar para resolvê-los, apresenta-se um novo modelo de pessoa adulta a imitar. Com isto consegue-se que compreendam a necessidade de realizar uma aprendizagem neste campo, assim como fazem em qualquer uma das disciplinas curriculares. Da mesma maneira que, por exemplo, para resolver problemas matemáticos é necessário conhecer certos procedimentos matemáticos, que não fazem parte do conhecimento cotidiano dos(das) alunos(as), também a resolução de problemas interpessoais — às vezes mais complexos que aqueles — necessita da aprendizagem de certos procedimentos e métodos de análise e reflexão.

Para introduzir esta nova perspectiva, o(a) professor(a) pode estimular o desenvolvimento de um breve debate sobre a possível existência de conflitos entre as pessoas adultas e sobre se tais conflitos têm causas, manifestações externas e soluções diferentes dos conflitos infantis.

Perguntas como as que apresentamos a seguir podem ajudá-los(as) a tomar consciência das situações conflituosas adultas que puderam presenciar:

- Acham que as pessoas adultas têm, às vezes, problemas entre elas?
- Que tipo de problemas?
- Por que motivos podem ter problemas?
- O que fazem quando têm problemas?

Em torno de cada uma destas perguntas, pode-se provocar um diálogo que faça os(as) estudantes recordarem vivências pessoais sobre o assunto. Esta troca de opiniões os(as) prepara para realizar com maior facilidade e eficácia a atividade seguinte.

Para finalizar, convém fazer uma breve síntese dos conflitos adultos de maior significação para a classe — os quais irão sendo anotados na lousa —, ressaltando que tanto as pessoas adultas como as crianças se deparam com problemas que têm de aprender a resolver.

Atividade nº 11: Dramatização de conflitos adultos

Objetivos

- Encenar relações interpessoais conflituosas em diferentes contextos.
- Encenar um mesmo conflito invertendo o sexo dos personagens que estão envolvidos nele.
- Avaliar modelos de relacionamento que superem os estereótipos sexistas.

Indicações metodológicas

Esta atividade compreende dois exercícios: um destinado a sintetizar os conflitos debatidos na atividade anterior e outro dedicado a vivenciar — mediante interpretação teatral — as emoções, os sentimentos e as idéias consideradas no debate.

11.1 Síntese da atividade anterior

Com os resultados do debate anotados na lousa, o(a) professor(a) proporá agrupar os conflitos em diversas categorias, procurando fazer com que apareçam as mais freqüentes e próximas da compreensão infantil.

Um esquema inicial possível para enquadrar os conflitos poderia ser:

Conflitos → privados
→ públicos

Em função da idade dos(das) estudantes, o esquema pode ir ficando mais complexo com a subdivisão em novas categorias. Os conflitos privados, por exemplo, poderiam ter a seguinte subdivisão: os que os membros do casal têm entre si e os que o pai ou a mãe têm com outros membros adultos do núcleo familiar. E esta última poderia ter novas subdivisões: os referentes a questões econômicas, a questões afetivas, à divisão de tarefas domésticas, à educação dos filhos etc. Os conflitos públicos, por sua vez, poderiam subdividir-se nos que têm lugar no âmbito profissional, os que têm lugar na rua, os que se produzem nas instituições oficiais, nos serviços públicos etc. Estas categorias poderiam, ainda, subdividir-se em outras em função das pessoas com as quais ocorre o conflito.

Em função dos problemas explicitados, os esquemas possíveis de trabalhar são diversos. Nas séries superiores, pode-se incentivar que eles e elas proponham diferentes formas de classificação possíveis.

A organização em categorias irá permitir-lhes ter uma primeira idéia dos diferentes âmbitos da vida adulta e tomar consciência de que conhecem melhor algumas esferas da vida dos adultos que outras. O esquema, apresentado na lousa, também será um suporte gráfico para que os(as) alunos(as) possam escolher um conflito de cada categoria e representá-lo.

11.2 Encenação

A título de exemplo, sugerimos como trabalhar um conflito interpessoal da esfera pública. Os(as) alunos(as) dessa faixa etária sabem que muitas vezes as pessoas adultas discutem devido a problemas de trânsito. O trânsito urbano é, portanto, um bom pretexto para refletir sobre a importância de encontrar soluções pacíficas para os pequenos problemas de cada dia.

Para realizar a experiência será organizado um trajeto na classe ou no pátio. Um grupo de meninas e meninos representará quem transita de carro por uma avenida. Pode dirigir uma menina só, um menino só, uma menina acompanhada de um menino ou um menino acompanhado de uma menina. O resto do grupo participará com suas intervenções como público espectador.

Diante dos conflitos próprios do tráfego (engarrafamentos, choques, infrações, tentativa de estacionar etc.), os personagens verbalizarão as expressões e condutas mais comuns que tenham observado nas pessoas adultas nessas circunstâncias.

11.3 Regulação coletiva

A partir das dramatizações, nas quais aparecerão vários tipos de condutas adultas, serão analisados os comportamentos das pessoas adultas com a finalidade de refletir sobre as respostas positivas e negativas que originam os problemas. Seria oportuno verificar se mulheres e homens têm atitudes diferentes e, se for o caso, analisá-las coletivamente e de maneira crítica, mostrando como é cada uma delas e oferecendo respostas alternativas, não influenciadas pelos padrões da cultura de gêneros.

Para isso, ao final de cada representação será realizado um debate sobre as manifestações externas e as causas dos conflitos surgidos. Os(as) alunos(as) serão convidados(as) a encontrar soluções não-violentas, não-sexistas e eficazes para neutralizar os problemas.

Avaliação

Atividade nº 12: Avaliação

Para avaliar a aprendizagem realizada, propomos as seguintes atividades:

1. As relações infantis

Colocam-se as gravuras utilizadas na atividade nº 1 em um lugar visível da classe. Deve-se fazer com que os(as) alunos(as) recordem o tema de cada uma e expliquem qual, de todas elas, lhes parece a melhor, em que razões baseiam seu julgamento e o que acham que podem fazer para usufruir de situações semelhantes às ilustradas.

2. Os conflitos na infância

Pede-se que inventem e escrevam uma história na qual duas meninas e dois meninos de idades iguais às suas, que têm muita amizade e se gostam muito, se desentendem por causa de algo que uma das quatro pessoas fez. Explicar que em seus relatos têm de esclarecer a causa do conflito, como o resolvem e quais medidas tomam para evitar sua reprodução.

Serão analisados os seguintes aspectos:

a) O grau de coerência entre os procedimentos que propõem empregar e a forma de relação que desejam.

b) O tipo de soluções imaginadas para o conflito e seu caráter preventivo:

— A ausência de estereótipos de gênero.

— O caráter não-violento nem repressivo.

— A ausência de preconceitos raciais.

c) As relações entre a causa do conflito e as estratégias empregadas para sua resolução:

— O caráter não-arbitrário das soluções.

— A justiça das medidas propostas.

A análise de ambas as produções e sua comparação com as realizadas nas atividades 1 e 3 permitirão avaliar o grau de assimilação da aprendizagem realizada.

ANEXO

Gravura nº 1

Gravura nº 2

Gravura nº 3

Gravura nº 4

Gravura nº 5

Gravura nº 6

Folha nº 1

Dibuja tres maneras diferentes de solucionar este conflicto

Folha nº 2

Dibuja tres maneras diferentes de solucionar este conflicto

Folha nº 3

Dibuja tres maneras diferentes de solucionar este conflicto

Folha nº 4

Dibuja tres maneras diferentes de solucionar este conflicto

Folha nº 5

Folha nº 6

Folha nº 7

Dibuja lo que ha pasado antes y cómo pueden solucionar el problema

Folha nº 8

Dibuja lo que ha pasado antes y cómo pueden solucionar el problema

Folha nº 9

Dibuja lo que ha pasado antes y cómo pueden solucionar el problema

Folha nº 10

Dibuja lo que ha pasado antes y cómo pueden solucionar el problema

Folha nº 11

Dibuja lo que ha pasado antes y cómo pueden solucionar el problema

Folha nº 12

Terceira Parte

Aprendizagem Emocional e Resolução de Conflitos no Ensino Médio

Genoveva Sastre
Montserrat Moreno

5

A Resolução de Conflitos e a Ética da Justiça

Introdução

É FÁCIL encontrar duas pessoas adultas, agradáveis e inteligentes, discutindo acaloradamente um fato problemático que parece ser de fácil solução. Cada uma delas acredita ter razão e sente-se magoada com o comportamento da outra. Para arbitrar em discussões desta natureza, não basta decidir em que prato da balança está a "razão" ou a "justiça". É necessário, também, refletir sobre os fatos conflituosos a partir dos pensamentos, sentimentos e valores das partes em litígio.

As atitudes que tomamos diante de conflitos são um reflexo de nossas crenças, nossos valores e expectativas. São resultado de processos mentais nos quais a razão e a emoção estão estreitamente vinculadas e, ainda que à primeira vista possam parecer simples, são extremamente complexos.

Se nos conformamos com uma análise superficial, tanto a falta de habilidade da população adulta como a dos(das) estudantes podem parecer-nos terrivelmente ingênuas ou fruto de sua falta de atenção e/ou má vontade.

Para desfazer estes equívocos simplistas e evidenciar as competências cognitivas e afetivas necessárias para uma adequada solução dos conflitos, algumas vezes acompanharemos nossas propostas com exemplos das dificuldades que encontra a população adulta na resolução de conflitos. Com isso pretendemos mostrar que não é lógico tomar por certo que os(as) alunos(as) são capazes de superar, sem nenhuma aprendizagem prévia, problemas diante dos quais a população adulta fracassa.

Iniciaremos esta apresentação comentando as ambigüidades que separam mentalmente os direitos e as obrigações; falaremos das dificuldades de compreensão de ambos os conceitos e, finalmente, daremos um exemplo da repercussão dos sentimentos sobre os pensamentos. Tudo isso nos permitirá, depois, ir detalhando as distintas atividades que compõem este capítulo.

Direitos e deveres: duas leituras complementares do conflito

Não costumamos perceber que a visão que temos de um conflito é distinta da que outra pessoa possa ter. Cada parte centra-se em si mesma, considera que tem razão e sente que seus direitos foram desrespeitados.

Se queremos compartilhar a solução de um conflito, temos, por um lado, de nos aproximar da outra pessoa e tentar entender como se sente e por que chega a conclusões diferentes das nossas. Ou seja, temos de nos colocar em seu lugar para entender, a partir do seu ponto de vista, aspectos do conflito que nos tinham passado despercebidos. Esta nova panorâmica irá ajudar-nos a compreender que seus direitos são, ao mesmo tempo, nossos deveres. Por outro lado, a partir de nossa perspectiva pessoal, temos de mostrar nossos sentimentos e defender nossos direitos e nossas razões para que a outra pessoa possa, por sua vez, compreender suas obrigações.

Direitos e deveres constituem duas vertentes complementares do sistema que regula as relações entre os indivíduos. A adequada solução do conflito tem como pano de fundo tais relações. Um dos objetivos fundamentais dos exercícios deste capítulo é ajudar os(as) alunos(as) a adquirir agilidade mental para considerar um mesmo comportamento a partir destas duas perspectivas. Várias vezes, em diferentes trabalhos de investigação, tivemos a oportunidade de observar as dificuldades dos(das) estudantes em realizar atividades aparentemente simples, como fazer uma lista de direitos e deveres ou analisar situações injustas considerando, ao mesmo tempo, direitos desrespeitados e/ou deveres não cumpridos. Em ambas as tarefas percebemos que não têm claramente estabelecidas as relações entre direitos e deveres e que, por estranho que pareça, não diferenciam nem delimitam claramente tais categorias mentais. Vão de uma a outra sem estar conscientes da mudança de universo conceitual que este salto representa. Suas produções são resultado de uma sucessão de análises baseadas em idéias restritas e justapostas que os(as) levam a julgar os distintos âmbitos do comportamento — quando têm direito e quando têm dever — de prismas diferentes. Também a população adulta aplica raciocínios distintos para analisar estes fenômenos.

Percebemos nossos direitos antes de nossos deveres

Se tivéssemos espelhos que refletissem nossa maneira de reagir diante das injustiças, iríamos nos deparar com imagens diversas, parciais, surpreendentes e difíceis de reunir em um significado geral. Nossos julgamentos refletem extensões limitadas da experiência. Estão mentalmente unidos ao conteúdo concreto e específico que estamos avaliando, e um ligeiro deslocamento de nossa mente para outros conteúdos — inclusive para outros aspectos do mesmo conteúdo — pode implicar uma mudança radical em nossa forma de julgar uma mesma experiência.

Resta-nos um longo caminho a percorrer até sermos capazes de elaborar com o pensamento modelos da realidade que nos permitam atuar, pensar e sentir com a coerência que nos atribuímos.

Os recursos cognitivos e afetivos com os quais interpretamos determinado comportamento injusto dependem, em parte, do sujeito receptor da injustiça. Por exemplo, detectamos mais facilmente a violação de direitos quando sofremos uma injustiça do que quando somos nós que agimos injustamente. Evidentemente, esta defasagem obedece a componentes afetivos (costumamos ser mais sensíveis ao nosso bem-estar que ao das demais pessoas), mas há também importantes componentes cognitivos. Quando recebemos um tratamento indevido, sabemos que expectativas nossas foram desrespeitadas, temos consciência de que estamos sendo agredidos e conhecemos o valor que tem, para nós, a violação recebida. Em contrapartida, quando cometemos uma injustiça nem sempre sabemos o que a vítima esperava ou como avalia nosso comportamento. Quer dizer que, mesmo de uma perspectiva estritamente cognitiva (deixando de lado a possibilidade de nossos interesses pessoais nos levarem a mascarar as injustiças que cometemos), nos é mais difícil entender as razões pelas quais não deveríamos tratar injustamente as demais pessoas do que compreender as razões pelas quais elas não deveriam tratar-nos mal. Eis a razão por que compreendemos melhor nossos direitos do que nossos deveres.

Sentimentos, pensamentos e fatos

A defasagem entre a compreensão de nossos direitos e de nossas obrigações não significa que estejamos cognitiva e afetivamente preparados para zelar a respeito de nossos direitos. Sabemos que temos direito a receber um tratamento justo, mas este conhecimento não é suficiente para que, diante de uma injustiça, reajamos ativa e eficazmente na defesa dos direitos que foram violados.

Quando as injustiças se produzem entre indivíduos que têm vínculos de afeto e/ou autoridade, a pessoa que se vê como receptora da injustiça pode sofrer uma paralisação momentânea, o que aumenta sua vulnerabilidade diante da injustiça recebida (G. Sastre e M. Moreno, 2001). Quando isto ocorre, organiza seus atos e pensamentos em torno de sentimentos de autocompaixão. Sente-se triste, decepcionada, frustrada, enganada, traída, impotente etc. E estes sentimentos levam-na a encerrar-se em sua dor, a romper os laços com seu círculo de convivência e a não se defender diante da agressão recebida.

Vejamos alguns exemplos:

Uma aluna de 22 anos de idade diz:

> Quanto mais o tempo passa, mais me pergunto se realmente fui eu a culpada. Confunde-me [está falando de seu pai] com sua indiferença e eu gostaria que me lembrassem que não mereço isso.

Esta confusão, ainda que momentânea, pode ser tão forte que, sob seus efeitos, os indivíduos não pensam em fazer algo para defender-se nem que podem pedir auxílio, conselho, apoio moral, ajuda material etc. Conseqüentemente, fecham-se em si mesmos.

Vejamos outros exemplos dos sentimentos que expressam ao descrever uma injustiça recebida:

> Acho que deveria ter falado com alguém que conhecesse nós dois e fosse imparcial, mas, como esta pessoa não existe, naquele momento fiz o que precisava: chorar, desabafar e depois ficar só.

Um estudante diz:

> Naquele momento precisava da compreensão dos amigos, seu apoio. Mas só pude recuperar isso muito tempo depois, quando consegui ficar bem comigo mesmo. Então pude me aproximar de novo deles e enfrentar a situação.

Quando somos tratados injustamente, a tristeza ocupa o espaço mental necessário para analisar o conflito e impede-nos de compreender, em toda sua amplitude, a situação na qual nos encontramos. Nestes momentos, conformamo-nos com idéias muito simplistas dos motivos, pensamentos e sentimentos que levaram a pessoa agressora a agir como agiu. Esta forma de nos comportarmos impede que atuemos em legítima defesa de nossos direitos e leva-nos a estados momentâneos de paralisia. A vítima não se defende, questiona-se a si mesma:

> Realmente cheguei a pensar que estava ficando louca... Cheguei a pensar que, sem me dar conta, estava ficando histérica ou algo assim, porque de fato acabei chorando de forma compulsiva.

Curiosamente, estas pessoas dariam a outras pessoas que estivessem em situação semelhante à sua conselhos cuja execução as ajudaria a resolver o conflito eficazmente. Portanto não podemos atribuir sua paralisia momentânea à falta de idéias sobre possíveis atitudes. O que gera seu estado momentâneo de paralisia é a unidade que se estabelece entre sentimentos, pensamentos e fatos.

Dizíamos no início desta introdução que inclusive nós, pessoas adultas, costumamos abordar os conflitos a partir da convicção de que a razão está do nosso lado. No nosso modo de pensar e sentir, o erro é patrimônio exclusivo do(da) oponente. A certeza de que temos razão leva-nos a detectar nossos direitos antes de percebermos nossas obrigações. Também vimos que o reconhecimento de nossos direitos não é garantia de que sabemos evitar estados momentâneos de paralisia. Não é, pois, de estranhar que os(as) alunos(as) fracassem em suas tentativas de diferenciar e relacionar de maneira simétrica seus direitos e suas obrigações.

As dificuldades, inclusive da população adulta, para resolver seus problemas pessoais incentivaram-nos a delinear uma aprendizagem dirigida a alunos e alunas de Ensino Médio. Nosso objetivo não é indicar-lhes como devem pensar, sentir e agir. Nossas palavras voltam-se para apresentar fatos e buscar seu compromisso na solução não-violenta dos conflitos. Nossa meta é despertar seu interesse em compartilhar os problemas e suas soluções. Para isso esboçamos uma série de atividades cada vez mais complexas. Partimos daquilo que já possuem para que, apoiando-se nisso, possam ir avançando até construir o que ainda não possuem.

Em alguns momentos trabalham individualmente, em outros compartilham sua atividade com um pequeno grupo e em outros desenvolvem seu trabalho com toda a classe.

O trabalho individual lhes dá a oportunidade de organizar pensamentos e sentimentos, de tomar consciência de como se situam diante do tema de que estão tratando.

O trabalho dos pequenos grupos lhes permite entender que sua maneira de organizar o problema não é a única, que outras pessoas consideram relevantes alguns elementos que, ou lhes tinham passado despercebidos, ou lhes pareceram secundários. Também verão que interpretaram alguns elementos de maneira diferente e que chegaram a soluções distintas. Toda esta diversidade dá lugar a uma troca direta, rica e intensa entre os pensamentos e sentimentos dos membros da equipe. O pequeno grupo é uma fonte inesgotável de conhecimento, sempre que se tomem as precauções necessárias para seu bom funcionamento (dar objetivos claros para as tarefas, organizar a exposição conjunta dos trabalhos dos grupos, prestar atenção para que não haja uma forte incompatibilidade pessoal entre nenhum de seus membros, ajudá-los(as) quando caem em situações sem saída etc.).

O trabalho em classe permite que comparem, avaliem e organizem as construções individuais e as dos grupos. Quando, por exemplo, o conjunto da classe estabelece uma hierarquia entre as propostas dos diferentes grupos, não só enfoca um mesmo conflito de pontos de vista distintos como também elabora um panorama mais amplo no qual cada proposta ocupa um determinado lugar, ou seja, está sistematizando e reconstruindo em um nível superior o trabalho das fases anteriores.

As lacunas e carências da população adulta alertam-nos sobre os resultados negativos de mostrar aos sujeitos, por meio do simples enunciado de pautas de comportamento, como devem atuar para resolver alguns problemas que já se anunciam resolvidos. Nossa proposta metodológica é diferente.

Não vamos mostrar aos(às) alunos(as) como é o mundo no qual vivem; vamos interrogá-los(as) para que aprendam a olhá-lo de forma diferente.

Não vamos explicar-lhes como devem comportar-se; vamos deixar que tomem a palavra e questioná-los(as) sobre quantas maneiras diferentes existem de comportar-se.

Não lhes diremos qual é a melhor opção; iremos perguntar-lhes sobre as conseqüências de cada uma delas e pediremos que nos expliquem qual é, a seu ver, a melhor.

Nosso desejo é que professor(a) e alunos(as) compartilhem o prazer de conhecer e sentir intensamente o ambiente humano e possam, a partir deste trabalho compartilhado, contribuir para a construção autônoma e solidária de comunidades criativas, generosas e justas.

Iniciamos esta aprendizagem com a exposição de acontecimentos nos quais alunos(as) se sentiram injustamente tratados(as) (atividade nº 1) para que, apoiando-se depois na análise e no comentário crítico destes acontecimentos, possam detectar as obrigações descumpridas por parte de quem os(as) tratou injustamente e abordar a análise das relações entre direitos e deveres (atividade nº 2).

A compreensão de conflitos nos quais desempenharam o papel de vítima abre-lhes as portas para o estudo da repercussão que o comportamento das demais pessoas tem sobre seus próprios estados emocionais (atividade nº 3).

O passo seguinte (atividade nº 4) consiste na tomada de consciência do papel que os sentimentos têm na resolução de conflitos. Nesta atividade, os(as) estudantes aprenderão que os acontecimentos observáveis têm um significado de acordo com os pensamentos e sentimentos de seus protagonistas.

A atividade seguinte (nº 5) gira em torno das brigas e dos insultos. Nela se pede que elaborem soluções que, por um lado, contemplem as causas e as conseqüências dos fatos e, por outro, considerem o significado que estes fatos têm para seus protagonistas.

A seguir, são incentivados(as) a saltar do hipotético para o real, mediante a realização de uma revista (atividade nº 6) e a generalização da aprendizagem anterior para conflitos reais, extraídos de sua vida cotidiana (atividade nº 7).

A análise de seu próprio comportamento permite questionar se se comportariam tal como fizeram no passado ou se modificariam alguma de suas atitudes ou de seus comportamentos (atividade nº 8).

Finalmente, depois de uma recapitulação das atividades deste capítulo, elaborarão as normas e planejarão a organização que desejam que toda a classe siga (atividade nº 9).

Vejamos a seguir a descrição das atividades que formam este capítulo.

As injustiças

Atividade nº 1: Evocar e narrar injustiças vividas pessoalmente

Objetivos

- Elaborar a recordação de uma injustiça, considerando os fatos e os pensamentos e sentimentos envolvidos.
- Expor tal recordação em um texto escrito.

Indicações metodológicas

A atividade que propomos requer que alunos e alunas reconstruam uma experiência vital que lhes provocou inquietude e mal-estar. Para realizar esta tarefa é necessário um ambiente tranqüilo e acolhedor que lhes faça sentir que podem falar de seus direitos e vivências pessoais com a segurança de que não serão julgados negativamente.

Pode-se apresentar esta atividade conversando sobre a necessidade que freqüentemente sentimos de comunicar para outras pessoas nossas próprias experiências, ressaltando a importância de poder recordar, falar, ser ouvido etc. para estabelecer relações pessoais satisfatórias.

Uma vez criado um clima de acolhimento e abertura para a recordação e a comunicação de experiências pessoais, pede-se que apontem e expliquem por escrito a situação mais injusta que viveram no ano anterior.

Deve-se anunciar, clara e repetidamente, que depois haverá um debate sobre o conteúdo dos textos e que, se quiserem, podem conservar o anonimato modificando a letra, não assinando o texto etc. Se for oportuno e a escola dispuser da infra-estrutura necessária, este exercício poderá ser feito no computador.

Antes de começarem a escrever, serão incitados a pensar, em silêncio, em situações nas quais sofreram uma injustiça. Depois, tendo-as todas mentalmente presentes, devem eleger a que lhes pareça mais injusta. Para não limitarem sua escolha a um só contexto de sua vida, pode-se comentar que, para algumas pessoas, a situação terá acontecido na escola (com o(a) professor(a) ou com companheiras ou companheiros de classe), enquanto outras terão sofrido injustiça em suas casas, na rua ou em qualquer outro lugar fora da escola.

Convém esclarecer que não lhes pedimos um relato fiel do acontecimento, mas que escrevam sua experiência pessoal tal como a recordam, que se concentrem em suas lembranças e expliquem livre, espontânea e amplamente sua vivência pessoal.

Devido às características do trabalho que posteriormente realizarão com seus textos, convém pedir-lhes que relatem os fatos, pensamentos e sentimentos presentes em sua experiência. Para facilitar sua tarefa, o(a) professor(a) pode escrever as seguintes perguntas na lousa:

1. O que aconteceu? O que você fez e o que a outra pessoa fez?
2. Como você se sentiu? O que pensou?
3. Como acha que a outra pessoa se sentiu? O que acha que pensou?

A análise e o comentário dos textos escritos sob estas três perspectivas (fatos, pensamentos e sentimentos) irão dar aos(às) estudantes a oportunidade de analisar, nas atividades seguintes, como as pessoas vivem os fatos que relataram, e o significado emocional e cognitivo que lhes atribuem. Daí a conveniência de insistir que considerem os três aspectos mencionados.

Concluídos os textos, deve-se recolher o material produzido e recordar-lhes de que, na próxima atividade, os diferentes tipos de injustiça serão comentados (sempre mantendo o anonimato).

Atividade nº 2: Por quem, como e por que você foi tratado injustamente?

DEBATE SOBRE O CONTEÚDO DAS NARRATIVAS

Objetivos

- Tomar consciência de que a violação de um direito implica o descumprimento de um dever.
- Oferecer uma visão geral e crítica de situações injustas.
- Alertar sobre a paralisia da vítima.
- Rechaçar a discriminação por razões de gênero, etnia, crenças etc.

Indicações metodológicas

Para estimular o debate, pode-se perguntar se alguém quer ler seu texto. No caso de ninguém se manifestar, o professor ou a professora lerá os textos (sempre preservando o anonimato) nos quais se descrevem diferentes tipos de injustiça.

Esta primeira leitura mostrará o comportamento de várias pessoas que agiram injustamente em uma grande diversidade de situações:

- Verão que há muitos textos que mostram, a mãe, o pai ou o(a) professor(a) do ano anterior agindo injustamente. Terão oportunidade de constatar que os textos explicam, por exemplo, que foram punidos(as) injustamente, impedidos(as) de fazer o que desejavam e obrigados(as) a fazer algo que consideravam que não era de sua incumbência, que não respeitaram sua opinião, que não lhes deram a atenção que mereciam, que, enquanto as meninas deviam pôr a mesa, arrumar a casa ou cuidar do irmão menor, o irmão mais velho estava tranqüilamente vendo televisão, escutando música, jogando ou fazendo os deveres escolares.

- Encontrarão textos que explicam que suas companheiras ou companheiros lhes bateram, quebraram ou roubaram algum objeto, trapacearam, mentiram, insultaram, os(as) forçaram a agir de uma determinada maneira, os(as) criticaram ou traíram contando a terceiros segredos ou "coisas íntimas" que deveriam ficar apenas entre eles(elas), que o namorado ou a namorada foi infiel, que os(as) privaram de afeto, expulsando-os(as) ou não os(as) aceitando em um grupo ou atividade etc.

Durante a leitura os(as) estudantes irão sendo estimulados(as) a fazer comentários críticos sobre a dor que o comportamento de algumas pessoas causa sobre outras. Para isso, pode-se pedir a uma garota ou a um garoto (se se oferecem voluntariamente, melhor) que, depois da leitura de cada texto, comentem como teriam se sentido se lhes tivesse acontecido algo parecido e o que teriam pensado sobre o comportamento da pessoa que agiu injustamente.

Também será trabalhada a reciprocidade entre direitos e deveres. A exposição de cada novo texto irá incitá-los(as) a realizar uma atividade mental, cognitiva e afetiva, que se refletirá em suas observações e seus comentários sobre os direitos não respeitados e as obrigações que as pessoas que os(as) trataram injustamente deixaram de cumprir. Para isso se solicitam voluntários e voluntárias para irem escrevendo na lousa duas listas: uma de direitos violados, e outra de deveres não cumpridos. A execução, em paralelo, destas duas listas permite comentar que, quando uma pessoa não cumpre seus deveres, transgride os direitos de outra.

O professor ou a professora evitará fazer qualquer comentário que implique situar-se na perspectiva oposta da pessoa que narra a injustiça, como, por exemplo, adotar atitude de defesa de uma pessoa adulta que supostamente agiu de maneira injusta. Convém que, neste momento da aprendizagem, os(as) estudantes se sintam apoiados(as) e compreendidos(as) ante as situações que narram.

Terminada a leitura dos textos, solicite-lhes que organizem hierarquicamente os direitos anotados na lista e analisem as conseqüências que teve a transgressão de direitos em alguma das injustiças relatadas. Deve-se comentar que uma convivência justa se baseia no respeito mútuo aos direitos individuais.

Outro aspecto importante a considerar é a relação entre agressor e vítima. Seus textos lhes dão a oportunidade de verificar se explicaram como agiram para defender eficaz e pacificamente seus direitos ou se, ao contrário, se limitaram a explicar como agiu quem os(as) agrediu e não deram nenhuma, ou quase nenhuma, indicação sobre o que fizeram para defender-se.

Irá ajudá-los(as) a detectar e analisar as diferenças entre fatos, pensamentos e sentimentos:

- O que fez a pessoa que se comportou injustamente, a partir do momento em que o conflito ocorreu?
- O que fez quem sofreu a injustiça? Defendeu-se? Expressou seu aborrecimento? Deu alguma idéia de como resolver o problema? Ficou calado(a) e triste? etc.

Estas perguntas darão ensejo a comentários que os(as) ajudarão a tomar consciência de que a pessoa que sofre a injustiça fica, freqüentemente, sem capacidade de resposta.

É importante aproveitar este debate para refletir sobre a paralisia, perguntando, por exemplo:

- Por que acham que, em muitos casos, a pessoa que se sente agredida se refugia em seus sentimentos de tristeza e decepção e não expressa as críticas que faz mentalmente a quem a agride?
- Que possibilidades tinha a vítima de modificar o curso dos fatos?
- A quem poderia ter pedido ajuda?
- O que acham que lhes convém aprender para saber defender, de forma eficaz e não-violenta, seus direitos?

Este é o momento adequado para explicar a necessidade de aprender a analisar e resolver os conflitos da melhor maneira possível. Suas respostas e comentários nos dão a oportunidade de lembrar que, quando uma pessoa se sente injustiçada, pode recorrer a outras pessoas (amigos e amigas, familiares, professores(as) etc.) em busca de apoio e idéias para resolver as situações que lhe causam dor.

Além disso, as diferenças entre os textos escritos pelas garotas e os escritos pelos garotos permitem abordar a igualdade de oportunidades entre os dois grupos. Garotas e garotos têm o direito de ter as mesmas aspirações e de experimentar os mesmos sentimentos diante do sucesso ou da frustração.

Para concluir a discussão sobre o direito à igualdade de oportunidades, podem-se selecionar e comentar as narrativas mais adequadas para o desenvolvimento dos seguintes pontos:

a) Não é justo que só se peça às garotas que cuidem de suas irmãs e de seus irmãos, nem que só elas tenham de participar das tarefas da casa. Há garotas e garotos que não gostam de realizar tais tarefas; há garotas e garotos que, *sim*, gostam de realizá-las. Não é justo para ninguém exigir delas o que se inibe neles.

b) A privação de afeto é vivida por garotas e garotos com tanta ou mais dor que o roubo ou furto de seus bens privados. A educação dos sentimentos não é, nem só nem principalmente, uma questão "feminina". Convém que elas e eles aprendam a conhecer a repercussão emocional de seus comportamentos.

c) Sofrer uma injustiça desperta, em garotas e em garotos, um universo de emoções e sentimentos que ambos devem aprender a canalizar e expressar adequadamente.

Lembre-se de que os objetivos fundamentais deste debate são: fazer com que os(as) alunos(as) tomem consciência de que fazem parte de um sistema social que regula os direitos dos indivíduos a partir da reciprocidade de suas obrigações e fazer com que compreendam que o respeito a seus direitos depende do cumprimento das obrigações dos demais e vice-versa. Para finalizar, é conveniente que o(a) professor(a) faça uma síntese dos temas tratados, relacionando-os tanto com os pensamentos, sentimentos e desejos das pessoas envolvidas nos conflitos, como com os direitos e deveres que regulam as relações entre os indivíduos.

Também convém anunciar que o trabalho dos próximos dias será dedicado à busca de soluções justas para os conflitos que permitiram que fossem tratados(as) injustamente.

Os sentimentos

Atividade nº 3: Os sentimentos

Justificativa

Temos certeza de que saber como nos sentimos é fácil quando, na realidade, com freqüência não sabemos. Os sentimentos são mais fugidios e complexos do que imaginamos. Se pedirmos às nossas alunas e a nossos alunos que expliquem como se sentem e como acham que se sente a pessoa com quem tiveram um conflito, constataremos facilmente que lhes custa estabelecer limites claros entre seus sentimentos e seus pensamentos. Também às pessoas adultas custa dialogar com sentimentos incômodos. Preferem moldá-los em opiniões, censuras e suspeitas. Contudo, para estabelecer relações pessoais positivas é necessário considerar os sentimentos que as sustentam.

Objetivos

- Aprender a falar sobre as emoções pessoais.
- Saber expressar as avaliações positivas e negativas dos comportamentos das demais pessoas.

Indicações metodológicas

Pode-se iniciar esta atividade com um breve comentário sobre a repercussão do comportamento das demais pessoas sobre os nossos estados emocionais e sobre a conveniência de analisar tanto as causas como as conseqüências dos fatos observáveis, como os pensamentos e sentimentos das pessoas que os vivenciam.

Tarefa nº 1

Explicar que vão tratar de como o comportamento de certas pessoas repercute no estado emocional de outras. Pedir-lhes que recordem dois comportamentos de pessoas conhecidas que lhes tenham provocado sentimentos agradáveis e dois que, ao contrário, lhes tenham provocado sentimentos desagradáveis.

O professor ou a professora solicitará voluntários e voluntárias para explicar duas situações, uma referente a sentimentos agradáveis e outra a sentimentos desagradáveis.

Ao final desta atividade, o(a) professor(a) comentará a importância que o comportamento tem sobre nossos próprios sentimentos e sobre os sentimentos das demais pessoas. Será dada especial relevância à riqueza e à variedade de comportamentos que produzem bem-estar emocional.

Preparar a próxima atividade comentando que, no dia seguinte, farão uma exposição de fotografias que mostrem expressões de estados emocionais. Serão formados os grupos de trabalho da próxima aula para que os componentes de cada grupo possam ir procurando fotografias que reflitam sentimentos de determinada categoria. A cada grupo será atribuído um dos seguintes conjuntos de sentimentos: a) raiva, cólera, fúria; b) ódio, ressentimento, rancor; c) tristeza, aflição, decepção; d) tranqüilidade, calma, serenidade; e) felicidade, estima, satisfação; f) amizade, simpatia, carinho.

Cada grupo ficará encarregado de trazer fotografias de pessoas que expressem os sentimentos atribuídos. Se não têm fotografias originais, podem tirá-las de jornais, revistas, livros etc.

Tarefa nº 2

Pedir que coloquem as fotografias em um lugar visível da classe e que façam um breve comentário do conteúdo de cada uma.

Solicitar que façam um esforço para lembrar, em silêncio, de alguma experiência na qual tiveram o sentimento que lhes coube trabalhar, que tentem sentir-se tal como se sentiram naquela ocasião e, quando tiverem a certeza de que conseguiram reviver o mesmo sentimento, digam em voz alta, sem se dirigir a ninguém em específico, as três primeiras coisas que lhe passam pela cabeça.

Fazer com que tanto as garotas quanto os garotos falem. Encerrar a sessão recordando as expressões mais próprias de cada sentimento e comentando que nossa maneira de pensar e falar é, em parte, influenciada por nossos sentimentos. Portanto, se queremos resolver um problema pessoal, ou se queremos ajudar outra pessoa a resolver um conflito, temos de considerar, além dos fatos e das causas que os produziram, os sentimentos que estes fatos geram.

Atividade nº 4: Como se sentiram?

Justificativa

As situações problemáticas são formadas por fatos (causas e conseqüências), pensamentos e sentimentos. Para avançar na resolução de conflitos é necessário não separar o que a experiência apresenta unido.

Um aspecto básico na resolução de conflitos tem a ver com fomentar a integração de sentimentos, pensamentos e condutas em um modelo mental único. Para isso é necessário aprender a reconhecer as relações que existem entre emoção e cognição, por um lado, e entre elas e a conduta, por outro.

Objetivos

- Constatar que um mesmo fato observável pode ter diferentes significados.
- Aprender a resolver conflitos considerando as causas e as conseqüências das ações.
- Tomar consciência da importância dos afetos nos conflitos e na sua resolução.

Indicações metodológicas

De forma geral, os(as) alunos(as) tendem a fazer análises parciais dos conflitos. Por um lado, encontram dificuldades em relacionar as causas e as conseqüências dos fatos e, por outro, quando pensam nas causas e nas conseqüências dos fatos, não costumam considerar as expectativas, os sentimentos e pensamentos das pessoas envolvidas no conflito.

Para ajudar os alunos e as alunas a superarem esta limitação, deve-se explicar que os sentimentos, os pensamentos e as expectativas que se vão configurando no decorrer do conflito são tão importantes como o motivo específico que o originou.

Deve-se dizer que esta atividade tem duas etapas: completar o texto de um conflito imaginando os elementos que faltam e encenar duas versões de uma mesma manifestação externa de conflitos diferentes.

Tarefa nº 1

Anunciar que esta atividade tem como principal objetivo ensinar a resolver os problemas, considerando as causas e as conseqüências dos fatos e observando, também, os sentimentos, desejos e pensamentos das pessoas que os vivenciaram.

Será lido o problema que apresentamos a seguir.

CONFLITO[1]

> Algumas de minhas colegas me provocam. Não me aceitam. Sempre que podem, fazem eu me sentir mal. Na última vez jogaram as coisas de minha mochila no vaso sanitário e, quando fui pegar, me perguntaram se não me dava nojo.

[1] Todos os conflitos que apresentamos foram elaborados por alunos e alunas, na fase experimental prévia à elaboração do livro.

Depois de ler o texto, comentar que desconhecemos os motivos pelos quais se comportaram desse modo, que não sabemos o que aconteceu antes, o que pensaram, como se sentiu cada uma das pessoas envolvidas no problema e que tampouco sabemos se já solucionaram o conflito e, no caso de já o terem resolvido, não sabemos como procederam.

A classe será dividida em pequenos grupos que deverão imaginar e comentar o que pôde motivar esta situação, como acham que se sentiram todas as protagonistas do problema e o que poderiam ter feito para resolvê-lo de forma não-violenta.

Explicar que, em suas discussões, devem imaginar todos os aspectos mencionados e propor uma solução não-violenta.

Se for conveniente, pode-se escrever na lousa um esquema no qual figurem as seguintes palavras:

Coerência entre:

- Causas.
- Fatos.
- Pensamentos.
- Sentimentos.
- Possíveis soluções não-violentas.

Enquanto os grupos trabalham, explicar que devem imaginar os dados que faltam e completá-los. É importante lembrar-lhes de que devem chegar a uma solução não-violenta e que se adapte aos diferentes elementos do conflito, tanto àqueles que figuram no texto escrito como aos que foram omitidos e que, portanto, são resultado de sua imaginação.

Fazer uma exposição conjunta do trabalho dos grupos.

Comentar o fato de que, apesar de todos os grupos terem o mesmo texto, seus trabalhos são distintos. Explicar que esta diversidade de interpretações é uma prova de que, para poder encontrar soluções justas e adequadas para as situações conflituosas, necessitamos compreender como vivemos as situações problemáticas.

Realizar conjuntamente a análise e avaliação das soluções propostas por cada grupo. Selecionar as melhores, levando em conta a não-violência e o grau de coerência entre os diferentes aspectos do conflito.

Tarefa nº 2

Para reafirmar a idéia de que alguns comportamentos observáveis podem apoiar-se em vivências internas muito diferentes, deve-se pedir a dois grupos, com relatos muito diferentes do conflito da tarefa anterior, que encenem suas respectivas versões.

Deve-se estabelecer um diálogo entre os atores e o resto da classe sobre a coerência entre as causas, os fatos, as vivências internas e as soluções dadas para o conflito e também sobre as qualidades e deficiências de cada representação.

Como resolver as brigas e os insultos

Atividade nº 5: Como resolver as brigas e os insultos

Justificativa

O desejo de desfrutar de relações pessoais equilibradas está profundamente ancorado em nossa identidade individual. Esta aspiração ajuda-nos a superar as dificuldades que vão surgindo em nossa convivência diária com outras pessoas. Aprender a analisar as causas dos problemas para depois elaborar e aplicar estratégias adequadas para sua solução é uma necessidade de primeira ordem.

A inércia e nosso interesse por não complicar a vida podenos levar a nos contentarmos com o uso de soluções superficiais, vazias, quase mágicas, procedentes de vias alheias à compreensão dos fatos que configuraram as situações conflituosas. Encobrir as dificuldades sob um manto protetor, tecido de lugares-comuns e fantasias fáceis, pode parecer-nos mais elegante e atrativo do que mostrar o emaranhado de fatos, pensamentos e sentimentos subjacente aos conflitos. Contudo, gostemos ou não, o certo é que só a partir da aceitação e da análise dos conflitos podemos encontrar uma solução adequada.

Nossos(as) alunos(as) também desejam desfrutar de suas relações com as pessoas de seu convívio. Tendem, igualmente, a conformar-se com medidas fáceis que permitem solucionar os conflitos provisoriamente e esquivam do confronto com pensamentos e sentimentos que lhes provocam um certo temor.

Objetivos

- Aprender a analisar um conflito a partir de perspectivas diferentes.
- Tomar consciência de que as soluções violentas geram novos problemas.
- Valorar a intervenção positiva de outros membros da classe.

Indicações metodológicas

Convém apresentar esta atividade explicando que vão analisar duas situações problemáticas que outros garotos e garotas de sua faixa etária viveram, comentaram e analisaram com seus companheiros e suas companheiras. Pode-se explicar que saber solucionar conflitos irá ajudá-los a viver melhor e que um conflito é sempre um acontecimento complexo, cuja resolução requer uma análise minuciosa dos fatos a partir dos pontos de vista das diversas pessoas envolvidas. Deve-se incitá-los(as) a apostar na busca de soluções verdadeiras.

Recordar que na atividade anterior a ênfase estava na necessidade de integrar os vários aspectos das experiências. Explicar que nesta atividade se trabalhará, de forma especial, a colocação em prática de alguns recursos mentais que podem facilitar uma resolução positiva e não-violenta dos conflitos.

Escrever na lousa os seguintes processos cognitivo-afetivos:

- Analisar as causas.
- Pensar soluções diferentes.
- Coordenar os meios e os fins.
- Avaliar suas conseqüências.
- Analisar as perspectivas das pessoas envolvidas.

Cada processo viabiliza uma forma diferente de ter acesso à problemática geral do conflito.

Organizar a classe em pequenos grupos, pedindo-lhes que discutam o conflito apresentado e em seguida respondam às perguntas formuladas.

Tarefa nº 1 . As brigas

CONFLITO

Eu me chamo Raul. Na minha classe há um garoto (Juan) que sempre age como se ajudasse você em tudo, mas por trás sempre critica os outros. Quando eu não estou, me critica. Me aborrece muito que me critique. Um dia falei com ele mas ele não ligou. Eu tento controlar minha raiva, mas, faz dois dias, perdi o controle e bati nele. Separaram-nos e puniram os dois. Ele continua do mesmo jeito e, se não deixar de me provocar, voltarei a bater nele. Acho que seria melhor que eu apresentasse o problema para os representantes da classe, mas eu gostaria de resolver isso do meu jeito. Penso que ele é insuportável, que não tem jeito e que merece levar uma boa surra.

PERGUNTAS

1) Raul tentou resolver o problema a sua maneira e comprovou que isto não lhe dá bons resultados. Por que se empenha em repetir o que já fez e não busca outro tipo de solução? Usou sua inteligência para resolver o conflito? Que outras coisas poderia ter feito?
2) O fato de Juan criticar Raul dá a Raul o direito de lhe bater? Se cada vez que um insulta o outro bate, e cada vez que um bate o outro insulta, quando e como acabará o problema?
3) Como vocês acham que Raul se sente? Acha que está em condições de saber e decidir sozinho o que seu companheiro merece ou, ao contrário, acham que outras garotas e garotos da classe, não tão envolvidos no problema, poderiam ajudá-lo a encontrar uma solução melhor?
4) Raul disse que Juan sempre o critica, mas o que significa realmente “sempre”? É possível que Raul esteja exagerando? Como vocês acham que Juan se sente?
5) Imagine que uma amiga ou um amigo seu com freqüência critica outra pessoa. O que vocês lhes diriam? Que conselhos dariam? Pensem em uma solução inteligente que não implique recorrer à violência.

As discussões em grupo são um bom recurso metodológico para ensinar a observar um mesmo problema a partir de diversas perspectivas e, tendo presente esta diversidade, tomar a melhor decisão.

Convém incentivar os grupos a analisar a temática a partir de diferentes pontos de vista, a respeitar e relacionar entre si as opiniões de todos os membros do grupo, analisando as vantagens e desvantagens de cada uma delas. Com isso se prestará atenção especial para que mantenham as discussões em torno dos núcleos de interesses levantados pelo conflito.

Na exposição em conjunto, pede-se a cada grupo que explique as alternativas que pensaram sobre o comportamento de Raul (primeira pergunta) e os conselhos que dariam a um amigo ou amiga (última pergunta).

Os(as) alunos(as) farão uma lista com as propostas, analisarão e avaliarão as conseqüências de cada uma e as ordenarão de acordo com a valoração que o conjunto da classe fizer.

Tarefa nº 2. Os insultos

Recordar os esforços realizados no decorrer da atividade anterior, avaliar as conquistas obtidas e apresentar o novo conflito. Os(as) estudantes devem ser advertidos(as) de que a garota que escreveu este problema não quis explicar tudo o que aconteceu e que, portanto, terão de imaginar os dados que faltam e analisar o conflito como se tudo tivesse ocorrido tal como imaginaram.

CONFLITO

> Faz alguns dias saí com um grupo de colegas da classe. Era a primeira vez que saía com eles. Os demais se conheciam muito e tinham saído outras vezes juntos. A coisa foi muito bem até eu dizer algo que os incomodou. Começaram a invocar comigo. Foi uma verdadeira tortura.

Não sabia o que fazer. Nunca me tinham tratado mal. Zombaram de mim e me disseram coisas terríveis. Queria ir embora mas tive medo de que, se dissesse que ia embora, me atacariam ainda mais. Dois dias depois se desculparam e me disseram que nunca tinham pensado que eu fosse tudo o que me disseram que eu era, que disseram sem pensar, que sentiam muito por terem me magoado. Mas agora já sei como são e passo longe deles, procuro não ficar do lado deles. O problema que tenho é que não quero contar para ninguém o que aconteceu e os demais acham estranho o meu comportamento e começam a dizer que sou esquisita. Eles riem de mim porque não digo nada. Preciso fazer alguma coisa mas não sei o que fazer. Não gosto de dedurar e não quero que ninguém saiba o que falaram de mim.

PERGUNTAS

1) Por que acham que eles se aborreceram tanto? O que acham que ela lhes disse? Por que a agressão se desencadeou? O que acham que disseram os demais? Por que acham que se comportaram desta forma? O que pensaram? Como se sentiram?
2) Por que riem dela se, na verdade, sentem pelo que fizeram?
3) Vocês acham que é suficiente desculpar-se? Que outra coisa eles poderiam fazer para diminuir a dor que lhe causaram?
4) Se acontecesse com um de seus amigos — garota ou garoto — a mesma coisa que aconteceu com esta garota, que conselho lhe dariam? O que lhe diriam para fazer? Por quê?

Na exposição coletiva dos relatos o procedimento será similar ao da tarefa anterior, com a ordenação das propostas das perguntas 3 e 4.

Uma vez terminada esta exposição, deve-se destacar a importância do trabalho realizado e estimulá-los(as) a analisar os problemas que encontram em sua vida cotidiana.

A revista

Atividade nº 6: A revista

Objetivos

- Exercitar a solidariedade.
- Detectar e selecionar comportamentos solidários.

Indicações metodológicas

Propor-lhes que se organizem para fazer uma revista de âmbito escolar que tenha como principal objetivo estimular relações de solidariedade.

Solicitar voluntárias e voluntários para trabalhar nela e organizar um conselho editorial (formado pelo mesmo número de garotos e garotas) encarregado de planejar o primeiro número da revista.

Organizar a classe em pequenos grupos para comentar acontecimentos reais que se destacam por atitudes e comportamentos solidários de alguns de seus protagonistas.

Solicitar que cada grupo escolha uma notícia para explicá-la para o resto da classe. A pessoa que atuar como jornalista do grupo deverá produzir um texto sobre o fato e entregar a notícia escrita para o conselho editorial da revista. Incitá-los(as) a relatar fatos vividos por elas e eles.

Pedir-lhes, também, que comentem fatos injustos extraídos da imprensa ou da televisão e que proponham formas de atuação, o mais realistas possível, para evitar que eles voltem a acorrer. Oferecer material para que possam, posteriormente, documentar-se sobre o tema.

Uma vez realizado o trabalho dos grupos (que inclui o comentário e a avaliação positiva de comportamentos solidários e o comentário crítico de fatos injustos), pede-se que cada um deles explique as notícias selecionadas para toda a classe. Finalmente se organizará, sob a direção e ajuda do(da) professor(a), o trabalho do grupo responsável pelo projeto e pela elaboração da revista.

Generalização para situações reais

Atividade nº 7: Generalização para situações reais

Justificativa

Ao delinear esta aprendizagem, consideramos que nosso principal objetivo era incitar os(as) estudantes a construir relações pessoais satisfatórias, a compartilhar o conflito e suas soluções, a ser os artífices de uma nova maneira de pensar e sentir a realidade social de seus círculos de convivência mais próximos.

Para isso fomos oferecendo nossa ajuda e apresentando-lhes conflitos hipotéticos inspirados na experiência de outros garotos e garotas de mesma faixa etária. Pedimos que os analisassem, comentassem e resolvessem a partir de diversos pontos de vista.

Nesta atividade os(as) incitamos a generalizar para sua própria experiência a aprendizagem realizada nas atividades anteriores. Nós os(as) estimulamos a selecionar conflitos de sua experiência pessoal, e questionar sobre o papel de sua conduta, seus pensamentos e sentimentos nos conflitos. Solicitamos que observem estes conflitos a partir da perspectiva das pessoas com as quais os compartilharam e tentem imaginar como compartilhariam, agora, sua solução.

Objetivo

- Generalizar a aprendizagem anterior para os conflitos de sua vida cotidiana.

Indicações metodológicas

Tarefa nº 1

Recordar e avaliar os resultados obtidos com o trabalho da atividade número 4 e explicar que depois realizarão uma atividade semelhante, mas com conflitos vividos por elas e eles mesmos, ou por algum de seus amigos ou amigas.

Pedir que recordem e expliquem por escrito (individualmente e de forma anônima, modificando a letra ou usando o computador) um conflito que desejam que seja comentado depois pelas demais pessoas da classe.

Recomendar-lhes que respeitem o silêncio necessário para que possam recordar tranqüilamente e sem pressa suas experiências pessoais.

Dar tempo suficiente para que possam reviver a situação problemática (fatos, causas, pensamentos, sentimentos, soluções, etc.) e projetar em seus textos a vivência daqueles momentos. Procurar fazer com que haja um ambiente de tranqüilidade para que possam pensar e sentir tal como fizeram ao viver o conflito.

Recolher os textos e perguntar se há alguma pessoa que não esteja interessada em se manter no anonimato e deseje, nesse momento, comentar seu texto. Será dada a palavra a alguém que se oferece voluntariamente, para ler ou explicar seu texto. A seguir, serão analisadas as causas do conflito e como cada pessoa viveu a situação, ou seja, que desejos tinha, o que pensou e como se sentiu. Depois desta análise, pergunta-se para o conjunto da classe se haveria outra maneira, não-violenta, de solucionar a situação descrita.

No caso de não haver nenhum voluntário ou voluntária, explicar que, como existem muitos tipos diferentes de conflito, na aula seguinte irão ler e comentar um conflito de cada tipo.

Tarefa nº 2

Ler o conflito que se considera mais paradigmático de cada categoria. Dividir a classe em grupos. Cada grupo escolherá, para sua análise, o tema que lhe parece mais interessante. A análise deve considerar as causas que originaram o conflito, como o viveram (o que pensaram e como se sentiram) as pessoas envolvidas e suas possíveis soluções.

Na exposição coletiva, cada grupo explicará aos demais o trabalho realizado.

O(a) professor(a) aproveitará esta exposição para enfatizar e avaliar positivamente os passos que os(as) estudantes deram para a busca de soluções não-violentas e adequadas às características específicas de cada conflito.

Esta atividade será repetida quantas vezes forem necessárias, para facilitar a análise dos conflitos com os quais o grupo vai se deparando em sua vida cotidiana.

É sábio retificar

Atividade nº 8: É sábio retificar

EM BUSCA DA SOLUÇÃO MAIS JUSTA

Justificativa

Aprender a olhar os conflitos do passado com uma atitude crítica e aberta à mudança conduz a um maior conhecimento pessoal e dá oportunidade de reconhecer as necessidades não satisfeitas. O sentimento de insatisfação permite reorganizar a situação conflituosa e oferece a oportunidade de sintetizar conceitos e experiências que não foram sintetizados no passado. Uma mudança de atitude não surge de lamentações nem de repetições, mas é resultado da incorporação de novas experiências, de sentir-se e pensar-se de forma distinta. A mudança começa no passado e projeta-se no futuro.

Objetivos

- Ir da consideração dos próprios direitos até a análise e o respeito aos direitos das demais pessoas.
- Aprender a modificar atitudes e comportamentos negativos.
- Sintetizar a aprendizagem anterior.

Indicações metodológicas

Deve-se incitá-los(as) a comentar algum conflito real que tenham vivido e que considerem que não teve resolução adequada. No caso de não comentarem nenhum, o(a) professor(a) apresentará um que considere interessante.

Organizar pequenos grupos para analisar e discutir o conflito de acordo com os seguintes tópicos:

a) Direitos e deveres de cada uma das pessoas envolvidas.
b) Motivos que cada pessoa teve para agir como agiu. O que pensaram? Como se sentiram?
c) Conseqüências de sua forma de agir.
d) Soluções mais justas.

Dê-lhes tempo suficiente para tratar todos os aspectos citados e escrever um resumo da discussão, prestando especial atenção na correta organização das idéias mais importantes.

Socializar o trabalho dos grupos, dando-lhes a oportunidade de reunir suas diferentes respostas e relacionando as atuações propostas com suas conseqüências.

Terminar fazendo com que cada um recorde uma situação na qual foi o autor ou a autora de alguma injustiça e que pense em como se sentiu a outra pessoa e em como se comportaria agora se se encontrasse de novo naquela situação.

Deve-se aproveitar esta síntese para fomentar a mudança de atitudes pessoais.

É interessante repetir atividades deste tipo sempre que surgirem problemas graves de convivência entre os(as) alunos(as).

Elaborar normas e estabelecer acordos

Atividade nº 9: Elaborar normas e estabelecer acordos

AVALIAÇÃO DA APRENDIZAGEM REALIZADA

Objetivos

- Compilar os principais aspectos trabalhados neste capítulo.
- Elaborar normas e estratégias gerais de convivência.
- Desenvolver uma imagem positiva do grupo por meio da formulação de valores compartilhados coletivamente.
- Avaliar os avanços realizados pelo conjunto da classe na aprendizagem da resolução de conflitos.

Justificativa

Esta atividade tem como objetivo reunir os principais aspectos trabalhados ao longo deste capítulo e induzir os(as) estudantes a sistematizar as conclusões extraídas dos diferentes exercícios em termos de valores assumidos e defendidos por toda a classe.

Além de construir uma síntese de todo o trabalho realizado, tem como finalidade fazer com que os(as) aluno(as) tomem consciência de que as normas éticas não são arbitrárias, mas obedecem à necessidade de regular a convivência do coletivo, de maneira que seja satisfatória para todos.

Algumas normas não são eficazes se não há mecanismos para fazê-las cumprir. O grupo será, então, incentivado a pensar nos recursos necessários para conseguir isso, baseando-se nas estratégias aprendidas, que necessariamente devem usar a inteligência e a imaginação em oposição à força e à coação.

Tanto as normas como os procedimentos imaginados para fazê-las cumprir devem ser justos, não-violentos e não-discriminatórios, ou seja, devem contemplar os interesses de todas as pessoas por igual (não-sexistas, não-racistas etc.).

Convém elaborar um documento coletivo final que seja validado por todas as pessoas da classe, de maneira que todas se comprometam a seguir e defender os acordos que constem nele.

É importante dedicar todo o tempo necessário para a elaboração do documento, para conseguir a adesão de todas as pessoas da classe.

Indicações metodológicas

Deve-se explicar que todos os grupos humanos necessitam de normas que os regulem e que assegurem direitos e deveres a seus componentes. Pedir que pensem nos principais conflitos que costumam aparecer em sala de aula e que elaborem normas próprias da classe, explicitando os valores considerados mais importantes. Deve-se dar especial atenção para que sejam contemplados os interesses de todas as pessoas do grupo. Dado que os garotos costumam intervir mais que as garotas, deve-se incentivá-las a tomar a palavra, cuidando para que não sejam interrompidas enquanto falam e, assim, possam expressar suas idéias.

É importante dedicar a esta atividade todo o tempo necessário e propor aos(às) estudantes que reflitam sobre as normas e as propostas para seu cumprimento, inclusive fora do horário escolar, caso seja necessário.

Esta atividade servirá para avaliar os avanços realizados pelo grupo desde o início da aprendizagem. Para isso serão considerados os seguintes aspectos:

- Capacidade do grupo para detectar os principais problemas que aparecem.
- Grau de compreensão das causas que geram os problemas.
- Capacidade para propor medidas que combatam as causas dos problemas, para evitar que ocorram novamente.
- Nível de coerência entre as normas propostas e as causas dos problemas detectados.
- Consideração das medidas a adotar para o cumprimento da normativa aceita pelo grupo.
- Nível de atendimento dos interesses de todos os componentes da classe e capacidade para contemplar os diversos interesses presentes, sem descuidar dos minoritários.

Tarefa nº 1

Organizados(as) em grupos, os(as) alunos(as) farão uma lista dos principais problemas que, na visão de cada pessoa, predominam na classe, sendo que muitos deles já surgiram em aulas anteriores. Deve-se insistir para que considerem as opiniões de todos, pois, do contrário, a normativa seria parcial e discriminatória. Realizada a lista, deve-se propor que cada grupo indique os valores subjacentes a cada questão mencionada, como, por exemplo, quanto à liberdade individual, ao direito de expressar livremente pensamentos e sentimentos etc.

Ao finalizar esta tarefa, as contribuições de cada grupo serão socializadas e será feita uma lista única, a partir da qual se elaborará um documento que reúna os direitos e deveres de todos os membros do grupo. Uma vez que todos os termos sejam discutidos e o documento seja concluído, será submetido à votação para ser aprovado.

Como exemplo, reproduzimos uma lista de acordos estabelecidos por uma classe na fase experimental prévia à elaboração deste livro.

EXEMPLOS E SUGESTÕES DE NORMAS

- Os pertences das outras pessoas serão respeitados.
- O material será distribuído eqüitativamente.
- A intimidade de todas as pessoas será respeitada.
- As atividades do recreio serão organizadas de tal maneira que garotas e garotos disponham de um espaço equivalente.
- Todas as pessoas serão tratadas com dignidade e não se permitirá nenhum tipo de discriminação ou provocação.
- Todos participarão ativamente na criação de uma comunidade justa e considerar-se-á que observar um abuso de poder sem fazer nada para evitá-lo vai de encontro aos interesses de toda a classe.
- Nenhum tipo de assédio sexual será permitido e serão denunciados, diante dos representantes da classe, os insultos, as brigas e qualquer tipo de abuso de poder.

Tarefa nº 2

Será apresentada a necessidade de elaborar uma série de dispositivos que permitam o cumprimento de tudo o que se acordou no documento anterior, de maneira que cada pessoa do grupo tenha a sua disposição os recursos necessários para intervir no caso de constatar que houve desrespeito a algum dos itens. Os recursos devem envolver todo o grupo (mediante assembléias, comissões rotativas, representantes etc.), que no caso de infração grave, deve se reunir com os objetivos de responsabilizar a todos pelo cumprimento dos acordos e de fazer todas as pessoas da classe sentirem a solidariedade de seus companheiros e companheiras.

6

A Resolução de Conflitos e a Ética do Cuidado

Introdução

SABEMOS — em um determinado nível de consciência — que pensamos de modo diferente de como pressupomos que pensamos, mas o conhecimento deste paradoxo não nos leva a modificar os comportamentos nos quais apoiamos nossa forma de pensar nem nossas opiniões. Comportamentos baseados em conteúdos similares podem receber significações e considerações morais e ser interpretados de modos diferentes por parte das mesmas pessoas, sem que estejam conscientes de suas mudanças de critério e sem que a percepção destas mudanças as leve, de forma imediata e espontânea, à busca de maior coerência moral.

Parece-nos mais fácil continuar agindo como se as contradições não existissem do que modificar nossa maneira de pensar. Assim, por exemplo, em diferentes trabalhos de investigação pudemos constatar que grande parte da população adulta muda seu raciocínio quando julga um mesmo comportamento a partir de diferentes perspectivas sociais. Atos que se consideram moralmente corretos e de cumprimento obrigatório na vida privada são avaliados negativamente quando julgados a partir da vertente pública. Assim, por exemplo, adultos universitários afirmam que o marido de uma mulher gravemente doente e sem recursos econômicos deve roubar para poder comprar os medicamentos de que sua mulher necessita e, a seguir, asseguram que o juiz deve punir o marido por ter cometido o delito de furto.

Surpreendentemente, os que se comportam deste modo não têm consciência de que mudaram de critérios. Quando são lembrados de suas primeiras palavras, assombram-se e tentam explicar sua mudança de raciocínio dizendo, de diferentes maneiras, que aquilo que é válido para a razão (cujo uso restringem ao âmbito público) não é válido para a emoção (cujo exercício limitam à vida privada).

A análise das mudanças de opinião da população adulta permitiu-nos comprovar que a maioria das pessoas considera justo que se penalizem juridicamente comportamentos considerados moralmente corretos no contexto da vida privada; que um mesmo comportamento seja julgado de modo diferente, segundo se faça dele uma análise pública e exclusivamente "racional" ou, ao contrário, uma análise do ponto de vista privado e se levem também em consideração os aspectos afetivos.

Os resultados destas investigações não estão desvinculados de um saber popular profundamente enraizado na mente da maioria das pessoas. Segundo este saber, há duas morais, uma para os estranhos e outra para a família e os amigos; uma para a vida pública e outra para a vida privada; uma para os homens e outra para as mulheres. A primeira é regida pela razão, e a segunda pelo coração.

A pluralidade de éticas sociais e as mudanças individuais de opinião forçam-nos a fazer algumas perguntas, sem cujas respostas a educação ética carece de uma base sólida na qual os(as) alunos(as) possam apoiar-se. É a justiça um conceito exclusivamente "racional"? Devemos canalizar nossa atividade educativa pensando em alguns cérebros carentes de emoções e sentimentos?

Temos de pensar só na vida afetiva? Se aceitamos a tão ampla divisão entre cognição e afetividade, com sua conseqüente diversidade e justaposição de éticas, como podemos explicar em nossas aulas que o que se considera valioso e exemplar em alguns âmbitos sociais é inaceitável em outros?, que o que se considera bom para alguns se considera inaceitável para outros?

As diferenças com que julgamos eventos muito semelhantes geram núcleos de tensão emocional que podem, facilmente, desembocar em problemas de comportamento que são evitáveis a partir de perspectivas éticas mais amplas e integradoras de diferentes esferas do comportamento.

Os problemas de comportamento que o(a) professor(a) encontra diariamente em sua instituição escolar não são simples. Apesar disso, nossos sistemas educativos programaram muito mais detalhadamente os objetivos curriculares das ciências naturais e sociais que os da educação ética, deixando que o improviso cuide de uma das facetas mais interessantes do processo educativo. Esta lacuna curricular é parcialmente responsável pela indisciplina e pela violência que ocorrem nas instituições de ensino. Os(as) estudantes não podem aprender por si só uma problemática que é muito complexa e para a qual não se previu oferecer-lhes a ajuda necessária.

A apresentação das atividades anteriores permitiu-nos ilustrar a complexidade dos processos que abrem a mente (pensamentos e sentimentos) dos(das) alunos(as) para o respeito e a compreensão dos direitos pessoais próprios e alheios. Nas próximas atividades propomos favorecer o desenvolvimento das habilidades mentais necessárias para analisar um mesmo acontecimento a partir de vertentes que contemplem e reúnam os aspectos afetivos e cognitivos dos comportamentos. Propomos ajudar os alunos e alunas a pensar em si mesmos(as) e em suas companheiras e seus companheiros como seres individuais, com necessidades e interesses próprios e, ao mesmo tempo, como membros de um coletivo, evitando rupturas entre sua faceta mais pessoal e íntima e sua faceta mais pública e coletiva. Nestas atividades aprenderão a introduzir, na normativa anteriormente elaborada, aspectos que surgem do interesse em ajudar e em receber ajuda em temáticas que repercutem favoravelmente na melhora das relações pessoais. Desde as primeiras atividades deste capítulo, orientaremos o grupo para o prazer de organizar sua convivência considerando, ao mesmo tempo, a vertente pública e a privada do comportamento de todos e de cada um dos membros da classe, sem discriminações de nenhuma ordem.

Enquanto o lema das atividades anteriores é aprender a comportar-se considerando a reciprocidade de direitos e deveres, o lema das próximas atividades é aprender a desfrutar e a construir, direta e indiretamente, o bem-estar próprio e alheio, sem exclusões de nenhuma ordem.

As atividades têm início com a reconstrução emocional e cognitiva de experiências vitais nas quais a ajuda prestada a outras pessoas lhes produziu uma íntima e profunda satisfação pessoal. Ao apresentar a primeira atividade, comentaremos que os sentimentos exercem uma poderosa influência sobre a razão, o que não significa que a razão é menos importante que os sentimentos. Significa que nosso ponto de partida nos leva a trabalhar os sentimentos agradáveis para estimular o exercício de um determinado estilo de funcionamento mental — pensamentos e sentimentos — que oferece novas possibilidades de análise e, portanto, uma nova maneira de interpretar as experiências pessoais.

As duas primeiras atividades estão voltadas para a conscientização de que a generosidade é patrimônio de toda a classe. Os benefícios destas atividades não se limitam a uma contemplação intelectual de uma bela paisagem, formada com imagens de suas experiências de generosidade. Elas levam os(as) alunos(as) a reviver a profunda satisfação e o bem-estar emocional que seu comportamento anterior lhes proporcionou. Esta satisfação e os processos de análise das causas e conseqüências de suas intervenções são as ferramentas afetivas e cognitivas que lhes convêm produzir e armazenar nestas duas primeiras atividades. São a reserva à qual se pode recorrer, uma e outra vez, em busca de entusiasmo e interesse em realizar novas explorações que apresentem as competências cognitivas e afetivas necessárias para resolver os diferentes problemas que vão se apresentando.

Com estas competências os(as) estudantes estão em condições de adentrar no mundo de suas carências sem cair no desânimo. Sua bagagem irá permitir-lhes defrontar-se com as dúvidas e os sentimentos de inferioridade que podem levá-los(as) à inibição e à renúncia desnecessária a seus desejos.

A terceira e a quarta atividades estão centradas na elaboração das competências necessárias para aprender a expor e pedir ajuda mediante as inseguranças e as dificuldades que surgem quando se tenta coordenar os próprios desejos com os interesses de outras pessoas.

A quinta atividade trata das expectativas que guiam e sustentam as relações pessoais. Ainda que às vezes não saibamos encontrar as palavras certas para falar com quem compartilhamos nossas expectativas, elas estão aí. Não as esquecemos. Cada expectativa compartilhada é a entrega e a recepção de sonhos, desejos e esperanças. Compartilhar expectativas incentiva-nos a continuar avançando em nosso percurso de relações interpessoais.

Esta atividade lhes dá a oportunidade de situar seus desejos no centro de sua ação; de pensá-los, senti-los e reajustá-los em função do resultado de seu trabalho. Ajuda-os(as) a entenderem-se melhor e lhes dá novos impulsos para guiarem-se em sua relação com as demais pessoas.

Os desejos nos proporcionam energia e nos ligam a outras pessoas, e nos ajudam a desenvolver novas habilidades, recursos e atitudes que são necessários para aprender a pôr limites às desordens do comportamento que serão tratadas nas atividades seguintes. Os desejos encerram uma tendência à ação positiva, mantêm-nos em uma atitude de busca de vínculos e domínio da situação que é necessária para saber intervir com retidão, generosidade e coragem diante dos medos (atividade nº 6), à violência (atividade nº 7), à marginalização (atividade nº 8), às pressões dos grupos (atividade nº 9) e às do namoro (atividade nº 10).

A satisfação pelas conquistas alcançadas neste campo, por terem aprendido a refletir e a falar sobre as expectativas, por terem sabido estabelecer novos equilíbrios entre as expectativas e as realidades é um preâmbulo conveniente para planejar uma organização da classe na qual se preze o exercício de relações harmônicas, generosas e solidárias entre todos os seus membros.

Os sentimentos agradáveis

Atividade nº 1: Os sentimentos agradáveis

RECORDAR E NARRAR SITUAÇÕES DE SATISFAÇÃO EMOCIONAL PELA FORMA DE AGIR COM OUTRA PESSOA

Objetivos

- Reconstruir experiências que lhes proporcionaram sentimentos de satisfação pessoal.
- Elaborar sentimentos de segurança, confiança e auto-estima.

Justificativa

A sucessão de episódios que norteiam nossas vidas nutre-nos de experiências vitais com significados afetivos e cognitivos muito diversos. Em determinadas ocasiões, nossa maneira de nos comportar deixou em nosso interior uma profunda satisfação emocional; em outras, ao contrário, gerou inquietude e insatisfação. Embora não costumemos negar as seqüelas emocionais de nossos atos, poucas vezes nos interrogamos seriamente sobre sua influência em nossas ações. Entretanto, sabemos por experiência pessoal que nossos estados de ânimo podem fazer com que observemos um mesmo fato a partir de atitudes muito distintas. Quando enfrentamos um conflito a partir da satisfação e do bem-estar emocional que sentimos com nosso comportamento em conflitos anteriores, costumamos ficar dispostos a abordar a nova problemática com o desejo de fazer tudo o que estiver ao nosso alcance para resolvê-la. Se, ao contrário, nos aproximamos da situação conflituosa partindo do desânimo e do mal-estar gerados por nossa conduta anterior, o envolvimento pessoal, o interesse por resolver positivamente o problema e, inclusive, as competências para explorar os recursos de que poderíamos dispor diminuem consideravelmente.

A estreita vinculação entre o pensar e o sentir é o núcleo central desta atividade. Nela propomos que os(as) alunos(as) tomem consciência do bem-estar emocional a que sua generosidade pode conduzir.

Entretanto, antes de nos concentrarmos nos(as) estudantes, queremos insistir no fato de que até mesmo as pessoas adultas pensam e analisam a experiência em função de seu estado emocional. Para ilustrar como os sentimentos influenciam a maneira de pensar das pessoas, exporemos muito brevemente os resultados de um trabalho de investigação sobre a influência dos estados de ânimo do(da) professor(a) na resolução de um conflito (Arantes , V. A., 2000).

Começamos a experiência organizando três grupos de professores e professoras (freqüentadores de um curso de formação continuada de professores e com características socioculturais similares) e pedindo a cada grupo que realizasse uma atividade diferente. As atividades solicitadas foram as seguintes:

- Aos componentes do primeiro grupo — denominado positivo — propusemos que cada pessoa recordasse, escrevesse, comentasse e encenasse uma experiência pessoal na qual sentiu satisfação devido a sua maneira de comportar-se com outra pessoa.
- Aos componentes do segundo grupo — que denominamos negativo — pedimos que recordassem, comentassem e encenassem uma experiência pessoal na qual sentiram insatisfação devido, também, a seu comportamento com outra pessoa.
- Ao terceiro grupo pedimos que desenvolvesse uma atividade em torno de um tema teórico que não tivesse nenhuma relação com a resolução de problemas nem com os estados de ânimo.

Depois de cada grupo ter realizado esta atividade, pedimos a todos os membros dos três grupos que imaginassem e expusessem suas opiniões pessoais sobre como se sentiria e o que faria uma professora (protagonista de um conflito hipotético) se soubesse que um aluno seu se droga.

As respostas dos três grupos foram tão diferentes que uma pessoa alheia à investigação teria dito que cada grupo analisou um problema distinto. E, embora "objetivamente" não fosse distinto, "subjetivamente" o era, já que a atividade anteriormente realizada (recordação de experiências pessoais emocionalmente satisfatórias ou insatisfatórias) os levou a interagir de maneira diferente com o mesmo texto de um mesmo conflito. As diferentes maneiras de dialogar com uma mesma informação levaram cada grupo a atribuir à professora um comportamento específico (e não outro) dentro do amplo leque de ações possíveis, que vão desde a expulsão do aluno até o compromisso total com sua recuperação.

- Os(as) professores(as) que tinham acabado de recordar experiências satisfatórias detalharam uma ampla diversidade de atividades didáticas que, em sua opinião, a professora poderia fazer para ajudar o aluno, que era visto como um sujeito bom e com futuro.
- Os que haviam recordado experiências insatisfatórias pensaram que a professora se protegeria e se esquivaria do problema, encaminhando-o à direção da instituição ou até a outras autoridades de hierarquia superior, para que assumissem a responsabilidade pelo aluno. Suas palavras refletiram a imagem de um aluno sem futuro, e suas atitudes apontavam para a expulsão.
- As respostas do grupo que recebeu a temática teórica situaram-se no meio do caminho das anteriormente descritas.

No nosso modo de ver, esta investigação mostra que os estados de ânimo, os medos, as esperanças e expectativas influem em nossas ações tanto como nossos conhecimentos. A pessoa fria, neutra, objetiva não existe. A satisfação pessoal pela maneira de comportar-se com as demais pessoas prepara a mente para a compreensão das necessidades, dos interesses e problemas alheios e nos dá mais sabedoria para elaborar estratégias de ajuda. Conseqüentemente, nos oferece um bom caminho para iniciar a aprendizagem da generosidade.

Indicações metodológicas

Um caminho adequado para iniciar esta atividade pode ser incitar os(as) estudantes a descrever sensações agradáveis e depois comentar que a capacidade de sentir-se bem depende, em parte, da atitude que adotamos diante das dificuldades e dos problemas que vão surgindo em nossa própria vida e na das pessoas que nos rodeiam; que às vezes nossa maneira de agir com as outras pessoas nos proporciona bem-estar emocional e que também há momentos em que ocorre o contrário.

Após esta breve introdução, deve-se pedir que pensem em situações nas quais tenham sentido uma profunda satisfação por terem ajudado alguma companheira ou algum companheiro. Devem eleger uma das situações, a que lhes proporcionou maior bem-estar emocional, e explicá-la por escrito.

Tal como se fez na atividade nº 1 da série anterior, será enfatizada a necessidade de explicar os fatos, os pensamentos e os sentimentos que configuraram o acontecimento escolhido. Deve-se solicitar, também, que expliquem os motivos que os(as) levaram a tal comportamento e anunciar que depois haverá um debate sobre o conteúdo de seus textos. Aqueles que desejarem manter o anonimato não devem assinar seu texto.

Para que possam ir reconstruindo as emoções e os pensamentos que experimentaram naquela ocasião, convém deixar que escrevam seus textos sem pressa, de forma espontânea e livre.

Por fim, os textos serão recolhidos, lembrando que na aula seguinte eles serão comentados.

Atividade nº 2: Quais pessoas você ajudou? Como as ajudou? Por que as ajudou?

DEBATE SOBRE O CONTEÚDO DAS NARRAÇÕES

Objetivos

- Expor e analisar contextos de relações pessoais satisfatórias.
- Elaborar sentimentos de admiração, confiança e segurança pelos comportamentos de companheiras e companheiros de classe.

- Relacionar a generosidade e a solidariedade ao esforço e à satisfação pessoal.
- Elaborar atitudes que permitam superar as limitações da cultura de gênero.

Indicações metodológicas

É conveniente contar com a colaboração de alunas e alunos voluntários(as) para ler em voz alta seus textos pessoais. Se, no princípio não desejarem oferecer-se como voluntários(as) o(a) professor(a) fará a leitura (mantendo o anonimato) e estimulará comentários das situações relatadas.

Garotas e garotos costumam prestar mais atenção ao tipo de ajuda que a cultura de gêneros atribui às pessoas de seu sexo e menos às condutas realizadas por pessoas do outro sexo. Para ajudá-los(as) a superar esta limitação, pede-se a duas garotas e dois garotos que façam uma lista das formas de ajuda que vão sendo lidas; os garotos ficam encarregados de anotar as formas de ajuda das garotas, e elas anotam as dos garotos.

A leitura dos textos permite situar os comportamentos de ajuda no coletivo. Esta atividade irá mostrar-lhes que, em diversas modalidades, todos os membros da classe deram provas de serem sensíveis às necessidades, aos interesses e problemas dos demais. Verão que, com uma atitude positiva e generosa, souberam oferecer formas de ajuda muito distintas: constatarão que em alguns casos seu apoio teve como objetivo melhorar o estado emocional de suas companheiras e de seus companheiros; que em outros casos os(as) ajudaram a pensar o problema de outra forma; que há os que intervieram diretamente sobre os fatos externos e os que, ao contrário, estiveram ao lado de suas amigas e de seus amigos sem atuar sobre os fatos etc.

É importante seguir um ritmo de leitura que lhes permita sentir e conhecer o significado pessoal dos textos. Ler e escutar estes relatos em uma atmosfera de paz e quietude mostrará o universo de generosidade construído com o esforço e a satisfação de todos e de cada um dos membros da classe.

Deve-se alternar a leitura com comentários sobre a adequação entre as distintas formas de ajuda e as peculiaridades de cada fato, fazendo com que estes comentários os(as) tornem ainda mais partícipes da atitude eficaz e positiva de seus companheiros e de suas companheiras.

A atmosfera tranqüila da classe, o ritmo de leitura e o conteúdo de suas experiências facilitarão a construção de um "conhecimento sentido" da satisfação que as pessoas da classe experimentaram ao agir com generosidade.

Finalizada a leitura, será solicitado às e aos responsáveis por fazer a lista das formas de ajuda que apresentem o resultado de seu trabalho. Haverá estímulo para uma discussão sobre o perfil das formas de ajuda dadas por elas e eles, enfatizando as vantagens que implica dispor de todas as habilidades (sem discriminações por razões de gênero) necessárias para ajudar companheiras e companheiros.

O(a) professor(a) fará uma síntese final, expressando sua satisfação pelo comportamento dos(das) alunos(as) e incentivando-os(as) a incorporar esta forma de proceder.

Nossas inseguranças

Atividade nº 3: Nossas inseguranças

Objetivos

- Situar a insegurança pessoal em um contexto de normalidade.
- Saber ajudar nos momentos de insegurança.

Indicações metodológicas

Fazer um breve comentário sobre o fato de que todas as pessoas desfrutam de momentos nos quais se sentem bem, seguras de si mesmas, e que esta segurança lhes produz um bem-estar emocional que se reflete em seu comportamento. Em compensação, em outras circunstâncias, suas inseguranças provocam mal-estar e lhes criam dificuldades para comportarem-se tal como desejariam.

Recordar que na atividade anterior tiveram a oportunidade de dar-se conta de que ajudar as demais pessoas produz sentimentos positivos tanto para os que ajudam como para quem recebe a ajuda, e que o objetivo central de algumas de suas intervenções foi oferecer ajuda para uma pessoa que estava atravessando um momento de insegurança pessoal.

Desenvolver a idéia de que, quando atravessamos um momento ou período de insegurança, desejamos receber a ajuda de nossos entes mais queridos e, reciprocamente, desejamos transmitir-lhes nosso apoio e nossa ajuda quando percebemos suas inseguranças.

Anunciar que esta atividade compreende duas tarefas:

- Ler e comentar situações de insegurança e esboçar *script* teatral com o conteúdo de um dos casos comentados.
- Selecionar um dos *scripts* e encená-lo.

Tarefa nº 1.

Dividir a classe em grupos. Dizer que receberão o texto de três conflitos para escolher um e fazer um *script* teatral baseado na exposição do conflito e na demanda de ajuda, por parte da ou do protagonista, dirigida para sua melhor amiga ou amigo. Dizer também que, se desejam, podem encenar um conflito proposto por seu grupo sobre uma experiência de insegurança vivida por uma pessoa da mesma idade.

Anunciar que esta aula será dedicada à redação do *script* e que, na aula seguinte, o representante de cada grupo apresentará ao resto da classe o *script* feito por sua equipe. Depois, mediante votação individual, a classe elegerá o *script* que tratou melhor dos seguintes aspectos:

- *Relação entre o/a personagem principal e sua amiga ou seu amigo*: Ressaltar a importância de esboçar uma relação de generosidade o mais autêntica e próxima possível da vida real.
- *Riqueza de diálogo*: À medida que a encenação vai avançando, deve ir mostrando mais informações sobre as causas do conflito e um intercâmbio real de pensamentos e sentimentos entre atores e atrizes.
- *Causas do problema e ajuda prestada*: O bom nível de adequação entre as causas que originaram o problema, a ajuda prestada e o tipo de solução proposta serão avaliados positivamente.

Para canalizar o trabalho dos grupos, os critérios anteriormente mencionados serão comentados e anotados na lousa. Os(as) estudantes devem ser lembrados de que deverão observá-los tanto no momento de elaborar seu *script* como ao emitir seu voto.

Serão estimulados(as) a abordar a temática com profundidade e evitar estereótipos e frases feitas, já que o uso abusivo de frases feitas será considerado uma prova de não terem conseguido construir um bom nível de comunicação.

MATERIAIS

CONFLITO Nº 1

> Comecei a sair com um garoto sem estar totalmente certa de que gostava dele. Depois lhe disse para terminarmos. Ficamos um tempo sem sair. Ele insistiu e voltamos a ficar juntos. É muito inseguro, me fala de seus problemas e me enche de dúvidas. Pensa que não o escuto o suficiente, que o acho fraco. E a verdade é que em parte tem razão.

CONFLITO Nº 2

Sinto-me muito insegura. Em um dia posso mudar muitas vezes de opinião sobre um mesmo assunto e, inclusive, posso mudar sobre o que penso de uma pessoa. Algumas vezes tenho vontade de chorar e em outras me sinto muito feliz, mas sem razão aparente. Suponho que estou em idade de indecisão e isso me consola, porque é certo que algum dia isso acaba. Mas, enquanto isso, fico mal. Às vezes meu namorado me pergunta o que está acontecendo comigo e eu digo que estou aborrecida e quando me pergunta por quê, não sei o que responder. Depois, quando penso nisso, me sinto mal por ter sido tão instável. Ele sabe disso e creio que se aproveita de minhas mudanças. Não quero que meu namorado se aproveite de minha insegurança. Falarei com ele.

CONFLITO Nº 3

Desde o começo da minha infância sou um pouco inseguro, mas não muito. Aconteceram comigo coisas que fazem as pessoas amadurecer. Minha insegurança é muito acentuada, mas me dou conta dela. Por exemplo, se alguém me pergunta uma coisa e se, quando respondo, me diz "tem certeza?", por momentos me faz duvidar. A verdade é que penso que não é bem assim, mas tenho de reconhecer que, por causa da minha insegurança, não quis ser representante de classe.

Tarefa nº 2

Recordar que, tal como se disse na tarefa anterior, só um *script* será encenado. Que, em primeiro lugar, um ou uma representante de cada equipe fará uma breve apresentação de seu trabalho e, depois, considerando os aspectos mencionados na apresentação da tarefa anterior (convém escrevê-los de novo na lousa), será feita a escolha do melhor *script*.

Recomendar que, enquanto cada equipe apresenta seu trabalho, o resto da classe faça anotações para poder votar no *script* de que mais gostou.

Depois da encenação, fazer um breve comentário sobre o fato de que podemos adquirir maior segurança pessoal ajudando e recebendo ajuda de nossos amigos e amigas.

Você e as demais pessoas

Atividade nº 4: Você e as demais pessoas

O PROBLEMA DE ADÉLIA

Objetivos

- Aprender a detectar os diversos aspectos de um problema e a coordenar os próprios interesses com os das demais pessoas.
- Trabalhar a insegurança e a angústia que podem ocorrer devido a uma renúncia desnecessária.
- Aprender a falar dos problemas.

Justificativa

As experiências pessoais, por mais simples que sejam, são formadas por tantos elementos, que sua análise total e exaustiva supera nossas possibilidades mentais. Uma mesma história, lida e comentada por várias pessoas, pode receber interpretações não só distintas, mas também opostas. O que para algumas pessoas é importante pode ser irrelevante para outras; o que para algumas tem um determinado significado, para outras pode significar algo completamente diverso. O sentido que damos ao elemento que selecionamos como relevante é resultado de uma síntese complexa que elaboramos a partir de emoções, pensamentos, sentimentos, motivações e ações.

No momento de trabalhar com os(as) alunos(as), convém ter em mente que suas experiências também são influenciadas por uma grande diversidade de fatores. Por isso propomos iniciar esta atividade com a leitura de um conflito hipotético e a possibilidade de os(as) alunos(as) expressarem espontaneamente suas reações quanto à problemática da protagonista. Esta primeira tarefa irá dar-lhes a oportunidade de organizar o significado que, para elas e eles, tem o problema apresentado e de expressar o que esta problemática permite reviver de sua própria história.

Esta forma de aproximar-se do conflito fará com que, na segunda atividade, realizem a análise detalhada da situação da protagonista do conflito apresentado a partir de uma maior significação pessoal.

Finalmente, na terceira tarefa, serão exercitadas as competências necessárias para superar as dificuldades que surgem ao longo de um diálogo difícil.

Indicações metodológicas

Tarefa nº 1. Eu e o problema de Adélia

Fazer uma leitura coletiva do conflito e pedir-lhes que comentem como se sentem e o que pensam diante do problema de Adélia.

Depois, devem relacionar explicitamente o conflito hipotético com algum problema real de sua vida. Devem pensar em si mesmas e em si mesmos e, se desejarem, podem comentar se alguma vez lhes aconteceu algo semelhante ao que está acontecendo com Adélia.

Enquanto explicam seus conflitos, dar especial atenção a que:

- Exponham as razões de suas dúvidas e inseguranças.
- Busquem soluções que não impliquem renúncias e sacrifícios desnecessários para nenhuma das partes implicadas.
- Evitem qualquer tipo de discriminação.

CONFLITO

Com a chegada do verão, Adélia costumava ir com sua família passar o fim de semana em uma casa que tinham nos arredores da cidade. Naquela sexta-feira, esperavam por ela com o carro na saída do colégio; tinham tudo preparado para passar o fim de semana no campo.

Adélia se despediu das amigas e entrou na parte traseira do carro. Estava um pouco cansada, tinha sido uma semana dura, com várias provas e, além disso, a preparação da peça teatral de final de trimestre estava ocupando grande parte de seu tempo livre. Adélia representava o papel de enfermeira em um hospital infantil. Sentia-se bem nesse papel, pensava que cuidar das pessoas e, especialmente, das meninas e dos meninos era algo muito bonito. Mas Adélia gostaria mais de representar o papel de cientista que Jaime fazia. Ela, é claro, não disse nada quando se decidiram os papéis. Esse papel caía muito bem para Jaime e ele estava muito entusiasmado com a idéia de representar um cientista brilhante que descobria um método para curar a AIDS.

Adélia recordou que nessa tarde, enquanto preparavam tudo para o ensaio, ficaram comentando sobre o que gostariam de ser no futuro. Recordou que Jaime se sentiu nervoso e que, em seguida, mudou o rumo da conversa. Adélia sabia que neste ano as coisas não iam muito bem para Jaime. Ele tinha sido reprovado em várias disciplinas, e o mais provável é que tivesse de repetir o ano.

Adélia gostaria de falar de seus projetos e temores com suas companheiras e companheiros de classe. Mas não disse nada; pensou que comentar que seu maior sonho era estudar medicina poderia incomodar Jaime, que nesse momento não sentia nenhuma vontade de falar de seu futuro.

Então Adélia se perguntou se tinha feito bem ao renunciar ao papel de cientista e ao não falar de seus projetos com seus amigos e suas amigas, e isto a angustiou. Pensou em quantas coisas mais teria de renunciar.

Tarefa nº 2. Buscando soluções para o problema de Adélia

Para estimular o interesse da classe, devem recordar os principais traços da história de Adélia e estabelecer uma breve discussão em torno das perguntas referentes aos seguintes tópicos:

- Adélia sente-se angustiada e insegura quanto ao que quer fazer, mas, apesar disso, inibe seus interesses. Gostaria de comentar suas inquietudes sobre seu futuro profissional e, além disso, gostaria de representar o papel que foi atribuído a outra pessoa. Contudo, não faz nada para realizar seus desejos. Por que aceita, sem dizer nada, uma situação que lhe causa angústia? A que se deve seu silêncio?
- Jaime parece não se inteirar de nada; foi reprovado em várias disciplinas, mas tem o papel que todos preferem. Além disso, Adélia não fala de seus interesses profissionais porque teme que, falando de suas aspirações, possa ferir Jaime. Vocês acham que o fato de Jaime ir mal em seus estudos é razão suficiente para que Adélia não expresse seu desejo de representar o papel de cientista e renuncie a falar de seus estudos?
- Freqüentemente, quando há um conflito de interesses, as mulheres e as garotas têm maior tendência a renunciar a seus desejos que os homens e os garotos. Por quê? Parece-lhes correto?

Depois desta introdução, a classe será organizada em grupos para que busquem diferentes formas de ajudar Adélia. Para isso se pedirá que comecem imaginando que são amigos ou amigas de Adélia, que ela comenta que se sente angustiada porque, sem estar muito segura do que faz, muitas vezes renuncia ao que quer por medo de incomodar as outras pessoas. E que, partindo de uma atitude de amizade e compreensão para com a protagonista, pensem e escrevam o que fariam para ajudar Adélia.

De forma geral, as propostas podem ser agrupadas em três grandes categorias, segundo apontem para a defesa dos interesses de Adélia, para a defesa dos interesses de Jaime ou para a conveniência de considerar os interesses de ambas as partes.

A socialização do trabalho dos grupos é o momento adequado para que tomem consciência da diversidade de atitudes que podem tomar diante da resolução de um problema. Para isso se solicita que os grupos que pensaram que Adélia deveria sacrificar-se de bom grado por Jaime e não pensar tanto em si mesma leiam suas propostas. Em seguida, dá-se a palavra aos que se inclinaram a dizer a Adélia que pensasse mais nela mesma e se esquecesse de Jaime. Finalmente, são analisadas as propostas que prezam pela busca de uma solução satisfatória para ambas as partes.

A leitura e a comparação destas três categorias de respostas é um bom exercício para promover a igualdade de oportunidades entre garotas e garotos e para avaliar a eficácia e a amplitude das estratégias propostas. Se há uma solução que possa satisfazer os interesses dos dois protagonistas, a renúncia é desnecessária e se, ao contrário, há uma incompatibilidade total de interesses, convém avaliar qual é a atitude mais justa e equilibrada.

Tarefa nº 3. É possível aprender a falar?

Um diálogo entre os protagonistas do conflito

Começar esta atividade comentando que, quando tentamos ajudar alguém a resolver um conflito, costumamos dizer-lhe que fale com a outra pessoa ou pessoas envolvidas nos fatos, sem nos darmos conta de que este é um conselho difícil de pôr em prática. É certo que falar é uma boa saída, mas para que surta efeito é necessário aprender a fazer isso.

Para que nossas palavras não caiam no vazio e para estimular a participação dos(das) alunos(as), pede-se que tentem explicar por que, se acreditam que é tão fácil falar, quando têm um problema nem sempre conseguem tornar realidade a consagrada frase: "É conversando que a gente se entende". Enquanto explicam suas dificuldades, o(a) professor(a) pode intervir dizendo que também para nós, pessoas adultas, nos custa falar e que, portanto, temos consciência das dificuldades dos demais. Dizer que, apesar disso, recomendamos encarecidamente que se esforcem para aprender a falar, já que isto lhes será de grande utilidade tanto no presente como na sua vida futura.

Explicar que representarão uma discussão entre os dois personagens centrais do conflito de Adélia, mas que antes nos referiremos às dificuldades que devem considerar a fim de levar a discussão a um bom desfecho.

Os fatos

As primeiras discrepâncias costumam aparecer já no relato dos acontecimentos externos que parecem originar o conflito. Fugir dos fatos é uma das possíveis conseqüências de não querer assumir as responsabilidades pessoais diante dos acontecimentos desagradáveis. Inclinamo-nos com excessiva facilidade a pensar que são as outras pessoas que agiram mal ou com más intenções; só quando já não é possível manter nossa total inocência admitimos a possibilidade de que agimos incorretamente, mas sem más intenções.

Se este esquema tão simples (as intenções dos demais são más, mas minhas intenções são boas) lhes parece ridículo, diremos para tomarem com cuidado, para não se precipitarem, já que certamente todas as pessoas da classe usaram este esquema uma infinidade de vezes. Explicar que, apesar de usarmos tantas vezes este esquema, para chegar a um acordo é necessário assumir as próprias responsabilidades e aceitar que os erros, tanto os próprios como os alheios, não são necessariamente resultado de atos realizados com más intenções.

Este tópico será finalizado com a recomendação de que, ao fazer o esquema do diálogo entre Adélia e Jaime, tentem imaginar como cada protagonista vê sua participação e responsabilidade nos fatos no início da história e como, em virtude da discussão, vão mudando suas interpretações iniciais. Dizer que têm de ficar claramente expostas as dificuldades que uma mudança de opinião supõe e as razões que a tornam possível.

Sentimentos

Um segundo tipo de dificuldade que convém tratar com os(as) alunos(as) diz respeito ao papel que devem dar aos sentimentos de ambos os protagonistas ao longo da discussão.

Comentar que, em uma discussão, se deseja dizer o que se sente e, ao mesmo tempo, se teme ofender e ser ofendida ou ofendido. Mediante esta disjuntiva, há duas opções. Por um lado, se não se fala, acaba havendo um distanciamento com as pessoas e situações com as quais se têm experiências emocionais não resolvidas. Por outro lado, falar pode trazer dois riscos que se deseja evitar a todo custo: um é que os demais riam de nossos sentimentos, e o outro é que, uma vez aberta a "caixa de Pandora", percamos o controle emocional.

Equilíbrio entre fatos, pensamentos e sentimentos

Finalmente, e como síntese, deve-se dizer que para aprender a falar é necessário ter interesse na busca de equilíbrios sutis entre os fatos externos, os pensamentos, os desejos e os sentimentos dos vários interlocutores.

Depois desta apresentação e das recomendações, pedir a uma garota e a um garoto que tentem imaginar como se sente e pensa sua personagem e que representem uma discussão, ao longo da qual se veja como, de maneira sutil, os protagonistas vão trocando idéias sobre os fatos externos, sobre seu comportamento e o comportamento da outra pessoa e sobre seus respectivos sentimentos. Durante a encenação, o resto da classe fará anotações para depois comentar os aspectos que, em sua opinião, foram tratados de forma correta e para sugerir formas de melhorar os pontos que consideraram excessivamente ambíguos, difusos ou superficiais.

Seus comentários irão ajudá-los(as) a levar em conta a diversidade de interesses, sentimentos e pensamentos das partes implicadas e incitá-los(as) a buscar soluções que integrem as diferenças em vez de negá-las.

As expectativas

Atividade nº 5: As expectativas

Justificativa

Nossa visão nunca é neutra. Nossos pontos de vista ao contemplar as experiências cotidianas levam-nos a nos determos mais em alguns aspectos da realidade do que em outros que, ou não consideramos interessantes, ou nem sequer chegamos a ver. Os "olhos de nossa mente" esbanjam significados. Vemos aquilo que selecionamos, o que nos interessa ver, e adequamos nosso comportamento às realidades escolhidas como pertinentes.

As emoções modulam as imagens que vamos obtendo tanto de nossa própria intimidade como do comportamento das pessoas de nosso convívio. Apesar da sua importância, os desejos são as emoções menos trabalhadas nas escolas.

No nosso modo de ver, aprender a compartilhar as expectativas é parte fundamental da educação ética dos(das) estudantes. Sem isso é difícil conseguir uma convivência aprazível entre as pessoas da classe.

Objetivos

- Aprender a avaliar e compartilhar os desejos pessoais.
- Conhecer e respeitar as expectativas das demais pessoas.
- Aprender a desfrutar com as expectativas de outras pessoas.

Indicações metodológicas

O núcleo desta atividade está voltado para a educação das expectativas que, de forma implícita, dirigem as relações que os(as) alunos(as) estabelecem com suas companheiras e seus companheiros de classe.

Pode-se começar explicando que às vezes mantemos em segredo nossas ilusões e nossos desejos porque não sabemos o que fazer nem como fazer para comunicar às demais pessoas o que esperamos delas. Apesar do nosso silêncio, continuamos desejando que quem tem afeto por nós organize seu comportamento de acordo com nossas expectativas. Pode-se fazer a seguinte comparação: algumas vezes, nos comportamos como se entregássemos uma carta em branco a alguém querido e esperássemos depois, ansiosamente, receber uma resposta clara e nítida para a pergunta que não ousamos escrever.

Convém ressaltar o fato de que, se não aprendemos a comunicar nossas esperanças e nossos desejos, será mais difícil se tornarem realidade.

Tarefa nº 1

Explicar que começarão pensando e escrevendo em um papel coisas que gostariam que outras pessoas lhes fizessem e que depois, de forma coletiva, irão comentar as expectativas e os desejos escritos.

Como em outras atividades, dizer que quem desejar se manter no anonimato pode modificar a letra e/ou escrever no computador.

Sugerir que, antes de escrever, relaxem e deixem os desejos fluírem livre e espontaneamente, que os sintam, pensem neles e tentem transportar para o papel toda a sua riqueza.

Dar o tempo necessário para que possam recordar e desfrutar de suas relações pessoais a partir dos desejos a elas subjacentes.

Concluídos os textos, deve-se perguntar se alguém deseja comentar seu trabalho. No caso de ninguém se oferecer, o(a) professor(a) recolherá os textos e os lerá, preservando o anonimato de seus autores e autoras e incitando comentários sobre as possíveis vantagens e desvantagens que cada pessoa teria ao tornar realidade seus desejos.

Encerrar esta atividade fazendo uma síntese dos textos lidos e explicando que as relações pessoais são formadas por um tecido de expectativas recíprocas que às vezes aparecem de imediato, mas que, outras vezes, se tornam patentes só depois de escutar, com delicadeza e inteligência, palavras que se escondem entre momentos de silêncio e frases engenhosas. Mas, escondidas ou explícitas, as expectativas existem, estão ao nosso alcance e torná-las realidade depende de nossa vontade e de nosso interesse.

Tarefa nº 2

Fazer uma breve introdução anunciando que vão buscar diferentes formas de compartilhar expectativas.

Pedir a duas garotas e dois garotos que esperem fora da classe enquanto os demais fazem uma lista com expectativas que imaginam ser comuns a estas quatro pessoas.

Enquanto elaboram as propostas, perguntar se acham que as quatro pessoas participam desta mesma expectativa, lembrar que devem ser expectativas compartilhadas por todas elas e solicitar que expliquem em que se baseiam para aceitar ou recusar suas propostas. Uma vez conseguido o acordo da classe, os membros ausentes serão chamados, notificados do resultado do trabalho e, então, serão questionados se realmente compartilham as expectativas mencionadas.

Repetir este exercício quantas vezes forem necessárias.

O medo. Fugir e atacar, dois lados da mesma moeda

Atividade nº 6: O medo. Fugir e atacar, dois lados da mesma moeda

Objetivos

- Aprender que dois comportamentos diferentes, a fuga e o ataque, podem ser parcialmente originados por um elemento comum: o medo.
- Tomar consciência de que a violência é resultado do temor. Rechaçar a idéia de que quem ataca é valente.
- Fomentar o respeito e as relações de solidariedade e companheirismo em situações conflituosas.

Indicações metodológicas

Convém criar uma atmosfera aberta, aprazível e serena que estimule o diálogo, comentando, por exemplo, que não devemos ter vergonha de nossos temores, que todas as pessoas têm medos, que podem falar deles e que falar deles pode ser o primeiro passo para superá-los.

Deve-se iniciar esta atividade comentando-se que as pessoas reagem aos problemas de maneiras diferentes. Há pessoas que, quando têm um problema, tendem a fechar-se em seu interior, fugindo da situação conflituosa ou comportando-se tal como as demais pessoas desejam. Outras pessoas, ao contrário, sentem-se impelidas a responder agressivamente em qualquer situação conflituosa. Há também quem, com calma, reflete sobre os fatos que lhe causam mal-estar e buscam soluções pacíficas para os problemas.

Em seguida, deve-se comentar que, se quiserem, podem falar sobre sua maneira habitual de reagir aos problemas. Assim, fomenta-se um breve debate sobre as vantagens e desvantagens das diferentes maneiras de agir.

Para estimular a participação da classe pode ser útil apresentar perguntas como as seguintes:

- Quem foge ou quem ataca de maneira impulsiva e indiscriminada consegue resolver os problemas com os quais se defronta?
- A fuga ou a agressão irrefletida ajudam a compreender o que provocou o conflito?
- Depois de fugir ou de agir violentamente a pessoa está mais preparada para evitar novos conflitos?

Para dar um apoio concreto ao debate e romper as inibições e resistências que podem surgir ao tratar este tema, explicar que se pediu a garotas e garotos de sua idade[1] que escrevessem um sonho que tiveram e que se constatou que alguns sonhos eram muito angustiantes. Quase metade das garotas sonhou que era perseguida e não podia escapar de seus agressores, e quase metade dos garotos contou sonhos nos quais atacava violentamente todo tipo de monstros, fosse para se defender fosse para defender outras pessoas.

1 Trabalho experimental realizado na fase preparatória deste livro.

Depois desta informação, pode-se perguntar quais são, em sua opinião, os tipos de fato que podem causar tantos sonhos angustiantes. Além disso, propor que, durante dez minutos, digam todas as idéias que lhes venham à cabeça com relação a este tema, sem pensar se são boas ou más e sem criticar as idéias dos demais.

Devem ir anotando suas idéias e, depois de dez minutos, continuar o debate comentando as opiniões recolhidas durante a exposição das idéias.

Em seguida dividir a classe em pequenos grupos, dizendo-lhes que, se desejarem, podem voltar a falar sobre a forma pessoal de cada pessoa reagir aos problemas, mas que, independentemente de comentarem ou não sua problemática individual, cada grupo deverá pensar, discutir e escrever diferentes formas de ajudar:

- Amigas e amigos que, quando têm problemas, só pensam em como escapar deles em vez de pensar em como resolvê-los.
- Amigas e amigos que, quando têm problemas, atacam as demais pessoas em vez de controlar seus temores e pensar no que está acontecendo.

O resultado das reflexões de cada grupo será socializado, e serão feitas duas listas: uma com as formas de ajuda consideradas adequadas para quem tende a fugir e outra sobre as estratégias mais apropriadas para quem tende a atacar. Depois se pedirá que comparem o nível de eficácia das diferentes estratégias e que as coloquem em ordem decrescente de adequação e eficácia.

Rechaçando a violência

Atividade nº 7: Rechaçando a violência

Objetivos

- Aprender a rechaçar a violência em qualquer de suas manifestações.

- Aprender a não se deixar provocar por comportamentos agressivos de outras pessoas.

Justificativa

Em grupos humanos nos quais existem relações interpessoais, como é o caso de uma classe, há sempre pessoas que exercem a função de líder. É comum que um grupo de pessoas conceda, espontânea e voluntariamente, condição de líder a alguém que considera ter alguma habilidade especial que se avalia como positiva. Estas pessoas costumam ser muito bem consideradas por quem faz parte do seu grupo. Entretanto, nos grupos-classe aparecem com bastante freqüência outros tipos de pessoas que querem adotar uma postura de domínio, não desejada pelas demais, recorrendo a métodos de coação que podem ser do tipo psíquico ou físico. Estas pessoas não hesitam em empregar métodos agressivos e até violentos para criar insegurança em suas companheiras e em seus companheiros e mostrar sua pretendida superioridade. Dado que sua finalidade é conseguir uma posição de domínio no grupo, que só sabem obter causando temor, necessitam do reconhecimento do grupo ou de parte dele para alcançar seus objetivos. Com freqüência se cercam de outras pessoas, que utilizam para reforçar seu domínio.

Se estas atitudes não são freadas a tempo, podem conduzir ao nascimento do clássico "valentão", que, ao comprovar a eficácia de seus métodos para atemorizar os demais — selecionados entre os que considera mais fracos —, se fortalece cada vez mais. Isso pode trazer prejuízos muito graves aos(às) alunos(as), que se sentem ameaçados(as) por estas pessoas.

Para que alguém possa exercer o papel de "valentão", são necessárias a cumplicidade de alguns e a indiferença ou a atitude passiva da maioria, que não se atreve a pôr freio em sua atitude nem a denunciá-la, com o que pode agir em meio à maior impunidade. O comportamento do "valentão" prejudica seriamente suas vítimas, mas também os demais componentes da classe, que acabam se habituando a presenciar agressões gratuitas e a aceitar a impunidade como uma coisa natural e inevitável.

A partir de um estudo que realizamos sobre a observação de condutas violentas em gibis (B. Villareal e M. Moreno Marimón, ainda não publicado), pudemos constatar que a contemplação de imagens violentas não produz necessariamente respostas violentas em quem as contempla. Em muitas ocasiões provoca o efeito oposto, ou seja, uma atitude temerosa que conduz a ver violência onde não há e a reagir como se houvesse.

Presenciar a violência dirigida a outras pessoas sem intervir fomenta atitudes de temor que deixam o indivíduo indefeso diante de possíveis agressões que sejam dirigidas a ele, pois tem certeza de que não receberá nenhuma ajuda quando precisar. Por isso convém que os(as) alunos(as) se conscientizem da necessidade de solidarizar-se com as vítimas de agressões arbitrárias e comprovem que as atitudes de solidariedade lhes proporcionarão uma força que um indivíduo sozinho não pode ter.

Indicações metodológicas

Tarefa nº 1

Dividir a classe em pequenos grupos. Entregar o texto sobre o conflito e pedir que o comentem e analisem e que respondam por escrito às perguntas que lhes são formuladas. Dar-lhes tempo suficiente para que possam avaliar suas idéias.

CONFLITO

> Há um "babaca" que não pode me ver. É um "valentão", "dá uma de durão", não se dá bem com ninguém. Sempre se metia comigo e os demais nem ligavam. Eu a cada dia ficava pior, me sentia encurralado, não queria fazer nada, não queria nem ir à escola. Finalmente explodi e lhe dei uma surra. Me senti mal por ter que bater nele, mas agora estou satisfeito. Foi a única coisa que me passou pela cabeça. Agora voltaria a fazer o mesmo.

PERGUNTAS

1. O que vocês fariam se tivessem um amigo ou uma amiga em uma situação parecida com a do garoto que escreveu este conflito? Como o(a) ajudariam?
2. O que se pode fazer para impedir, real e eficazmente, que um garoto que "dá uma de durão" torne difícil a vida dos demais membros da classe? O que se pode fazer para que compreenda que seu comportamento está prejudicando toda a classe e que, sob nenhum pretexto, a classe aceitará sua forma de agir?
3. É fácil resistir à provocação de uma pessoa que "dá uma de durão"? Agüentar até perder o controle e reagir violentamente é uma boa solução? A pessoa que se faz de valente mudará sua conduta ou buscará as pessoas mais frágeis para continuar agredindo?
4. Que outras coisas poderia ter feito o garoto que explica este conflito? Sentir-se encurralado justifica uma agressão? Por que, em vez de bater, não pediu ajuda para outras pessoas (amigas e amigos, representantes de classe, professor(a))? O que poderia ter ocorrido se, em vez de dar uma surra, tivesse apresentado o problema aberta e claramente para a classe?

Promover a socialização dos trabalhos dos grupos, priorizando o comentário das vantagens e desvantagens das diferentes soluções apresentadas. Explicar a fundo e detalhadamente a necessidade de advertir os valentões de que seu comportamento não será tolerado; que uma boa defesa para seus ataques pode ser desmascará-los diante de toda a classe e pedir a intervenção das e dos representantes, para que se ponha fim a suas agressões. Convém dizer muito claramente que quem ajuda os(as) representantes será considerado(a) mais valente e mais inteligente do que os valentões e as pessoas que os encobrem.

Tarefa nº 2

Desenhar na lousa a silhueta de um garoto ou uma garota que simbolizará um valentão. Estimular os(as) alunos(as) a se dirigir a este personagem, dizendo-lhe de forma espontânea e rápida, sem pensar muito, os aspectos mais desagradáveis de seu comportamento. Incentivá-los(as) a expressar, sem inibições de nenhum tipo, o que sentem diante dos valentões.

Sistematizar, depois, os resultados desta atividade fazendo, de forma coletiva e na lousa, a lista dos comportamentos usuais dos valentões e que a classe considera totalmente inaceitáveis.

O que fazer diante da marginalização

Atividade nº 8: O que fazer diante da marginalização

Objetivos

- Tomar consciência de que se sentir marginalizado provoca dor.
- Aprender a agir contra qualquer forma de marginalização.
- Rechaçar a violência como forma de defesa contra a marginalização.

Justificativa

A marginalização é um dos problemas que mais costumam causar mal-estar entre os(as) alunos(as) de Ensino Médio. Quem sofre com ela tem sentimentos de solidão, abandono, impotência, injustiça e perda da auto-estima. Tudo isso submete as vítimas a um estado de indefesa que é difícil superar sem a ajuda de terceiros.

Os textos escritos por alunos e alunas que se sentiram marginalizados(as) descrevem situações muito diversas, tanto ao motivo pelo qual são marginalizados como pelas manifestações que a marginalização adota. Por um lado, etnia, nível cultural da família, sexo, procedência de outra instituição escolar etc. são pretextos com os quais freqüentemente se mascara uma exclusão que obedece a interesses pessoais que se quer manter ocultos.

Por outro lado, a marginalização configura-se em formas que podem ir desde a exclusão clara e explícita até uma manifestação tão sutil que só quem sofre a marginalização percebe.

Indicações metodológicas

Pode-se iniciar esta atividade falando sobre a necessidade de ser sensível a esta problemática e de ajudar quem vive experiências de marginalização. Se alguém, na primeira atividade deste capítulo (o que faz você se sentir satisfeita(o) e feliz?), explicou que ajudou uma pessoa a superar uma experiência de marginalização, pode-se ler seu texto e comentar a satisfação que sentiu quando viu como, graças a sua ajuda, uma pessoa que se sentia marginalizada e indefesa foi capaz de superar os difíceis momentos que atravessava. Este comentário situará, logo de início, esta problemática na busca de estratégias suscetíveis de erradicar este tipo de comportamento e na satisfação que uma intervenção positiva produz. No caso de ninguém ter comentado na primeira atividade sua satisfação por ter participado da integração de uma pessoa previamente marginalizada, pode-se perguntar se alguém teve este tipo de experiência.

Tarefa nº 1

Explicar que farão uma leitura conjunta de conflitos vividos e relatados por garotos e garotas da mesma faixa etária e que, a seguir, formarão pequenos grupos para comentar os casos apresentados e preparar o debate coletivo.

PRIMEIRO CONFLITO

> Desde que comecei o Ensino Médio me sinto excluído. Meus companheiros me deixam de lado. Sinto-me só. Não sei por que são assim e não sei o que fazer. Tento ser agradável, mas é como se não me vissem, como se não fosse ninguém, é como se não estivesse ali.

SEGUNDO CONFLITO

> Ao mudar de colégio encontrei muita gente que havia anos não via. Há um grupo que anda por aí com "ar de superioridade". Se não está vestido como eles, ou se não fala como eles, o desprezam, riem de você e, quando não está na frente deles, o criticam. Sabe que o repudiam, mas não pode fazer nada. Me dá muita raiva que me tratem assim. Eu me sinto indefesa. Não posso dizer nada para eles já que parece que não me fizeram nada de mal. Mas eu sei que me excluem e que, quando me aproximo deles, ou não me dizem nada ou vão embora e me deixam sozinha.

TERCEIRO CONFLITO

> Tenho um amigo que é inteligente e muito sensível. Os "machões" da classe sempre o provocam. Está assustado. Um dia o trancaram no armário do ginásio e lhe disseram que, se gritasse, o arrebentariam. Eu vi pela vidraça, me deu muita raiva. Eram três contra um!

Não me atrevi a fazer nada, mas, quando foram embora, fui correndo e abri o armário. Meu amigo estava suando. Ficamos conversando até que se acalmou. Aconselhei que falasse com os representantes da classe e lhe disse que, se não queria fazer isso, que deixasse eu fazer, que eu podia contar o que tinha visto.

Depois de ler os três conflitos, escrever as perguntas a seguir na lousa e dividir a classe em grupos. Pedir-lhes que se preparem para o debate, voltando a ler os conflitos e respondendo às perguntas que estão na lousa.

1. O que pensou enquanto líamos os conflitos? Como se sentiu?
2. Que sensações tem quando alguém o/a humilha?
3. Acha que em sua classe há algumas pessoas que se sentem como as pessoas que explicaram seus problemas? Que tipo de marginalização ocorre com freqüência entre os garotos e as garotas de sua classe? Em que circunstâncias vocês tendem a marginalizar alguém? Como o problema costuma começar? Por que razões e quem costuma iniciar este tipo de comportamento?
4. Considerando tudo o que disseram nos tópicos anteriores, pense em coisas positivas que pode fazer para que todas as pessoas da classe se sintam integradas e à vontade.

Convém estimular o trabalho dos grupos dizendo-lhes que o fato de aprender a observar e analisar os processos mentais (pensamentos, sentimentos e tendências à ação) subjacentes à marginalização pode ser muito positivo para erradicar este tipo de comportamento na classe.

Durante a exposição conjunta do trabalho, os(as) alunos(as) farão uma lista das atuações positivas descritas pelos grupos e será enfatizada a necessidade de ter uma atitude de alerta diante dos primeiros sintomas de comportamentos que desembocam na marginalização. A apresentação de estratégias úteis terá avaliação muito positiva, não só para resolver com êxito os obstáculos específicos à situação particular, mas também para criar um ambiente descontraído e de bem-estar coletivo.

Recordar o trabalho realizado na atividade número 1 (que coisas o/a fazem sentir-se satisfeito(a) e feliz), ressaltando o contraste entre os efeitos negativos da marginalização e o bem-estar emocional proporcionado por saber estabelecer relações harmônicas.

Tarefa nº 2

Comentar que algumas vezes temos sentimentos contraditórios: quando alguém nos marginaliza, podemos sentir desejo de agir corretamente e, ao mesmo tempo, de devolver a dor que nos causa; às vezes desejamos agir corretamente e, ao mesmo tempo, temos muita vontade de aplicar a clássica lei do "olho por olho, dente por dente". Explicar que nossas ambivalências podem darnos golpes baixos e fazer-nos agir sem termos totalmente claro o que queremos fazer. Para comentar este tipo de situação, primeiro o(a) professor(a) lerá um texto escrito por uma garota, depois discutarão sua postura e, finalmente, encenarão seus desejos, suas dúvidas e a decisão final.

Fazer uma leitura coletiva do texto sobre o conflito e pedir que comentem a postura da protagonista.

CONFLITO

> Este ano eu e algumas amigas mudamos de colégio. No novo me deparei com pessoas muito "chatas", que provocam todo mundo. Vêem "inimigos" por todos os lados. Não param de provocar as pessoas que decidiram que são "antipáticas".

> Eu era uma das "marcadas" e um dia me humilharam muito, me enchi de me provocarem, de me insultarem e bati de frente com elas, e, claro, briguei sem querer. Eu só queria deixar as coisas claras, mas não pude e bati nelas. Evidentemente me repreenderam e castigaram em casa e no colégio. Me ameaçaram com uma mudança de colégio. Fiquei com medo de perder minhas amigas por culpa de "quatro loucas" e aceitei os castigos sem protestar.
>
> As "chatas" continuam lá e riem de mim. Sei que não devo resolver este problema brigando, mas também não quero ficar quieta sem me defender e não sei o que fazer.

Depois de ler o conflito, pode-se pedir que tomem a palavra as pessoas que acham que a protagonista desta história não queria bater em ninguém e expliquem em que baseiam suas opiniões. Quem sustenta opiniões contrárias deve fazer o mesmo.

Deixar que os grupos discutam suas opiniões; voltar a ler o texto e perguntar o que se pode fazer quando uma parte de você só quer "deixar as coisas claras" e outra parte quer revidar o mal recebido.

Explicar que encenarão os processos mentais internos (desejos, sentimentos, dúvidas, mudanças de opinião) e o comportamento da protagonista e que para isso será necessária a atuação de três pessoas: uma para representar a garota quando deseja bater em quem a marginaliza, outra para representar a garota quando deseja esclarecer as coisas sem bater e, finalmente, uma terceira para mostrar a protagonista escutando as outras duas e tomando uma atitude melhor que a autora do texto tomou.

Colocar duas cadeiras de frente para a classe e dizer que a protagonista irá de uma cadeira a outra. Cada vez que chegar até uma cadeira, a pessoa que está sentada nela deverá falar-lhe de pensamentos, sentimentos e ações de acordo com a atitude que lhe coube representar (bater ou só esclarecer as coisas).

Caso considere útil, pode-se pedir ao resto da classe que participe da encenação, ajudando a pessoa que tem de fazer sugestões não-violentas a encontrar propostas melhores que as da parte agressiva.

Explicar que a protagonista que tomará a decisão final irá de um lado a outro até considerar que já tenha recolhido toda a informação necessária para fazer um balanço das vantagens e desvantagens de cada opção e propor uma solução não-violenta que supere as vantagens da agressão. Chegado este momento, colocar-se-á em uma posição eqüidistante das duas cadeiras e anunciará sua decisão dizendo que, depois de ter considerado todas as satisfações que bater lhe proporcionaria, optou pela solução que vai expor e que lhe permite defender seu direito à integração sem usar a violência.

Não deixe de ser você: as pressões dos grupos

Atividade nº 9: Não deixe de ser você: as pressões dos grupos

Objetivos

- Exercitar a autonomia de pensamento.
- Aprender a resistir às pressões grupais não desejadas.
- Elaborar estratégias de independência diante das pressões externas.

Justificativa

As pressões — de um ou outro tipo — fazem parte de nosso contexto e, para construir nossa autonomia pessoal, temos de aprender a dialogar com elas. Um dos pilares básicos desta construção é nossa própria intimidade. Conseguimos autonomia aprendendo a vasculhar nossa intimidade e a canalizar as pressões do grupo para nossos próprios interesses. A adolescência é uma ótima etapa para esta aprendizagem.

Esta atividade busca favorecer a conscientização de que liberdade pessoal e independência implicam resistir às pressões dos grupos quando estes vão contra os desejos e valores individuais. A coragem não consiste em fazer o que as demais pessoas fazem, mas em saber escutar e manter as opiniões pessoais.

Indicações metodológicas

Entregar-lhes o texto sobre o conflito que se reproduz a seguir, dizendo que devem lê-lo e imaginar e encenar o diálogo anunciado pelo autor no final.

CONFLITO

> Perto da escola há um terreno baldio. Muitas vezes, na saída, vamos para lá. Conversamos, fumamos, nos sentimos livres, sem ninguém que nos vigie. Faz alguns dias, um colega meu tirou um monte de "baseado" para fumar e nos convidou. Era a primeira vez que acontecia algo assim. Uma garota disse que era contra fumar "baseado", que não queria que fizéssemos isso. Riram tanto dela que acabou chorando e fazendo o que eles queriam. Eu não quis, não me interessava, realmente não acho certo usar droga. Invocaram comigo, me insultaram, me disseram que não tinha..., que era mais medroso que uma menina. Não me importei e quando me disseram que para ser de seu grupo tinha de provar, fui embora sem lhes dar nenhuma explicação. Fiquei mal porque, fora isso, nos dávamos bem. Disse à garota que viesse comigo, mas chorou mais ainda e ficou lá. Desde este dia não falam mais comigo. Amanhã procurarei a garota. Quero dizer-lhe que não tem que se importar com eles, que em nome da amizade ninguém pode obrigar você a fazer nada que não queira e dizer-lhe que não sou um medroso.

Deve-se incitá-los a tentar compreender a problemática dos dois personagens centrais e manter um tipo de diálogo centrado na compreensão e na ajuda mútua.

Pedir a um voluntário e uma voluntária para imaginar e encenar o diálogo entre o garoto e a garota. Cada um deles deve representar seu papel explicitando as razões que o levaram a agir daquela maneira. Devem imaginar quais podem ser estas razões e expor sua opinião, manifestando seus medos e sua dor mediante a situação vivida.

É importante recordar que nenhum dos dois estava de acordo com as exigências do grupo e que, depois de explicar reciprocamente as razões de sua forma de agir, devem elaborar em conjunto estratégias de conduta que lhes proporcionem maior satisfação e lhes permitam manter suas próprias opiniões e atuar de forma coerente.

Dizer ao resto da classe que, quando os atores esgotarem seus argumentos, podem intervir sugerindo-lhes outros. Para ajudar o(a) professor(a) pode apresentar as seguintes perguntas:

- Ouvem-se? Levam em conta o que se dizem? Ouvem-se por igual ou um escuta mais que o outro?
- Cada personagem é sensível à problemática do outro? Dão-se conta dos diferentes pontos de partida?
- Expressaram seus sentimentos?
- O tipo de estratégia de ação que elaboram vai ajudá-los a não se deixarem pressionar pelos grupos?

Terminada a encenação, farão uma síntese final das idéias apresentadas, ordenando-as segundo a avaliação dada a cada uma pelo conjunto da classe.

Os conflitos de namoro

Atividade nº 10: Os conflitos de namoro

Justificativa

> As borboletas me cercaram, fiquei paralisada, sem falar, sem ouvir, sem sentir, só observando-as... O que acontece com meus olhos que não obedecem a meu cérebro e o seguem aonde vai? (M.R. 16 anos)[2]

Estas palavras são de uma garota de dezesseis anos à qual se pediu para explicar o que é o amor e como se sente quando está apaixonada. Nesta idade é comum acreditar no cupido, no amor à primeira vista. Sentem desejos de entregar sua liberdade aos seres de seus sonhos:

> Ela, a única coisa que fez foi cravar seu olhar nos meus olhos e com isto já me apaixonei. Através de seu olhar senti que era ela...
>
> Era como estar em um vale repleto de flores e o vento soprasse rosas... Era sua figura, seu rosto, seu sorriso, seus dedos, todo o seu ser era de sonho. Sentia-me como um escravo de seu coração. (J.P. 16 anos)

Mergulham prazerosamente nas correntes turbulentas da paixão sem nenhuma preparação. Sua fantasia os leva a pensar, sentir e imaginar que vivem além da realidade, nas "nuvens", que estão "voando"; que o amor "não tem fronteiras nem medidas"; que "permanecerão unidos para sempre"; "até o dia que morrer"; que a pessoa amada é "sua cara-metade", "a melhor do mundo".

[2] Todos os exemplos citados sobre a paixão são de C. Caro (2001) "Representações e metáforas sobre o amor em uma população adolescente" (Créditos de Investigação Doutorado, Faculdade de Psicologia U. B.).

Pouco a pouco, a experiência vai mostrando-lhes a necessidade de construir, com os pés no chão, realidades o mais próximas possível de seus sonhos. Para ir da fantasia à experiência compartilhada, têm de fazer uma mudança que é tanto mais difícil quanto maior é a distância que separa os dois pontos de vista.

Em termos gerais, os textos produzidos pelas garotas de quinze e dezesseis anos[3] refletem realidades mais difíceis que as dos companheiros da mesma idade. O desengano, a dor e a ambivalência estão presentes na metade dos textos das meninas. Seus parceiros comportaram-se de forma diferente do que elas tinham imaginado. Em alguns casos, a gravidade de seus relatos mostra-nos maus-tratos que desejaríamos ignorar, mas que estão aí, em seus textos, em suas vidas. Outros explicam (como o fragmento que utilizaremos na atividade seguinte) incidentes que podemos chamar de maus-tratos incipientes. Também se detalham situações conflituosas menos graves, que não chegam aos maus-tratos, mas causam uma profunda dor. Viveram inesperadas rupturas, abandonos, infidelidades, trocas de parceiro etc.

Os garotos, ao contrário, parecem estar no melhor dos mundos. Em poucos casos suas parceiras lhes apresentaram problemas suficientemente importantes para forçá-los a reajustar seus sonhos.

Esta diferença entre elas e eles tem nos feito pensar que é necessário apresentar a todos(as) os(as) alunos(as) — garotas e garotos — a necessidade de aprender a equilibrar os desejos, as expectativas e os comportamentos individuais com os de seus pares e a não aceitar, sob nenhum pretexto, que o desejo de

---

[3] No trabalho citado não foram encontradas diferenças entre os textos de garotas e garotos mais novos.

compartilhar uma relação dê lugar à deterioração da dignidade que toda pessoa merece.

Objetivos

- Educar as vivências sentimentais próprias de uma relação amorosa.
- Elaborar relações baseadas no conhecimento da pessoa amada e no respeito por ela.
- Rechaçar os maus-tratos.
- Estabelecer distâncias entre a responsabilidade, a generosidade e o sentimento de culpa.

Indicações metodológicas

Tarefa nº 1. A paixão

Esta atividade tem início como pedido de que expliquem por escrito — individualmente e preservando o anonimato — em que consiste o amor e como se sentem quando estão apaixonadas ou apaixonados.

Recolher os textos e explicar que serão trabalhados na próxima aula.

Tarefa nº 12

Comentar a intensa felicidade que todos os membros da classe sentem sob os efeitos da paixão. Além disso, uma parte da classe explicou a tristeza com que viveram o fim de uma paixão. Para concretizar estes comentários, podem-se ler dois textos: um voltado para sentimentos agradáveis e outro para sentimentos desagradáveis ou ambivalentes.

Reproduzimos, como ilustração, dois textos:

EXEMPLO

Bom, vou falar das minhas paixões. Neste momento eu estou apaixonado por uma bela garota chamada Marta, é fascinante.

Tudo começou no dia 31 de outubro; enquanto eu passava pelo pátio, um olhar me levou até suas amigas; elas me disseram que se eu a chamasse para sair, a resposta seria afirmativa. Então assim foi...

É a melhor pessoa do mundo: amável, simpática, sincera e uma infinidade de outras coisas etc... Acho que ela sente o mesmo por mim.

Sei que somos muito jovens para estar nesta situação, mas o amor não tem fronteiras nem medidas. Quando, digamos assim, comecei uma relação séria com ela, vieram as cobranças dos amigos. Ela tem um coração imenso, cheio de surpresas e sentimentos.

EXEMPLO

Olá, já dá para ver que continuo arrasada. Ainda não consigo acreditar. Ele é que deveria estar triste, já que fui eu que terminei, mas ele parece muito feliz.

Para ele tudo o que vivemos não tem nenhuma importância? Achei que continuaríamos juntos para sempre.

É uma horrosa e completa agonia. Sempre digo a mesma coisa, mas é exatamente o que sinto.

Todas as suas promessas evaporaram.

É como se lhe arrancassem de repente o coração, e não pode respirar, não come, não funciona. Jamais senti uma dor tão intensa, e sinto que sofrerei isso por toda a vida. Não há forma de aliviá-la.

É que eu apenas o transformei na pessoa que eu queria que fosse, mas me dei conta de que não necessito de nenhum príncipe encantado, quero apenas um companheiro com quem eu me sinta bem e que ele me possa querer, não só por meus pontos fortes, mas também pelas minhas fragilidades...

> Só quero ir para o meu quarto com meu melhor amigo, fechar a janela e lhe abrir o meu coração. Somos almas gêmeas e, se não podemos estar juntos, é que eu não entendo nada.

Estas leituras serão aproveitadas para comentar a intensidade sentimental refletida nos textos; no início sua sorte lhes pareceu infinita, ilimitada, inquebrável, mas, com o decorrer do tempo, uma parte da classe se sentiu profundamente infeliz e sem recursos para poder recuperar as ilusões perdidas. O sofrimento que acompanha estas mudanças emocionais mostra a conveniência de entrar na paixão sabendo que, passada sua efervescência inicial, ela pode dar lugar ao nascimento de uma relação amorosa ou a um encontro com o desamor.

Explicar que o desejo de viver intensamente os sentimentos não significa que não possam pensar serenamente na pessoa amada, que um olhar carregado de amor não é um olhar cego. Que o namoro lhes proporciona uma série de vivências corporais novas e que, portanto, lhes agradará vivê-las intensamente. Como exemplo, o(a) professor(a) pode ler e pedir que comentem as seguintes expressões:

> "estremeço cada vez que penso nela"; "fico com a cabeça muito quente"; "pulso tremendo, como alto-falante e a todo volume, com algumas espetadas de agulhas no estômago"; "o cérebro nesses momentos não podia ordenar minhas idéias... as pupilas se dilataram, não era capaz de ver, os pulmões se fecharam e o ar não conseguia passar"; "meu coração ficou partido, não sabia se chorava, se ia embora, se ficava".

É natural que desejem desfrutar de suas emoções, mas elas serão tanto mais prazerosas quanto mais forem capazes de recordar quem são, como são e o que querem compartilhar com a pessoa amada.

Estimular um breve debate apresentando perguntas tão simples como as seguintes:

- Não os incomoda que se diga que o amor é cego? Por que cego? Por que não se fala do que o amor vê?
- Acham que quando uma pessoa se apaixona pode ficar segura de que encontrou sua "metade da laranja"? Por que metade?
- O que significa metade da laranja? O que acontece se colhermos uma maçã de uma árvore e a cortarmos pela metade? É melhor buscar sua metade da laranja ou buscar uma pessoa inteira, com opiniões, desejos e sentimentos próprios?
- Que atividades lhes dão maior satisfação? Como são as pessoas com as quais compartilham tais atividades? Que atividades gostariam de compartilhar com seu(sua) namorado(a)?
- Acham que quando uma pessoa se apaixona tem de deixar de ser ela mesma?
- Há coisas que ninguém deveria aceitar de ninguém e muito menos de seu(sua) namorado(a)? Quais?
- Que metáforas poderiam utilizar para expressar a individualidade e generosidade das pessoas em suas relações amorosas?

É importante que os(as) alunos(as) tenham oportunidade de falar espontaneamente, de trocar e esclarecer idéias que não costumam comentar com ninguém, mas que lhes provocam incômodo e inquietude.

A classe será dividida em pequenos grupos para que escrevam a letra de uma canção sobre amor e paixão que expresse metaforicamente alguns dos pontos do debate.

Explicar que, na próxima aula, um representante de cada equipe lerá sua canção e todos elegerão, mediante votação, aquela que consideram que melhor expressa suas idéias e seus sentimentos. Se na escola há um conjunto musical, pode-se pedir que componham a música.

Posteriormente se pedirá que leiam as canções e façam uma votação para selecionar uma.

Tarefa nº 3. Um conflito de casal

Há um número cada vez maior de alunos e alunas que vivem só com um de seus progenitores. Convém, portanto, iniciar esta tarefa fazendo referência às transformações da estrutura familiar. Pode-se comentar que a família tradicional formada por mãe, pai, filhos e filhas está mudando; que cada vez mais são freqüentes as unidades familiares formadas só por um dos progenitores, filhas e filhos; que há formas de convivência alternativas para a família, tais como comunidades, famílias abertas ou relações afetivas entre pessoas do mesmo sexo; que o fato de estas formas de convivência serem menos freqüentes não significa que as relações entre seus membros sejam menos autênticas, nem menos conflituosas e que todas as pessoas têm de aprender a resolver seus problemas dentro da estrutura que tenham escolhido.

Explicar que receberão um fragmento de diário no qual uma garota fala de suas dúvidas sobre a relação que tem com o(a) namorado(a)[4]; que lhes apresentaremos este conflito para que, além de analisar e discutir a divisão de responsabilidades dos fatos, busquem uma solução que, sob nenhum pretexto, suponha que Juan continue maltratando Laura. Explicar que devem prestar especial atenção a como começa e como evolui a história: quando aparecem os primeiros sinais de que o casal tem problemas?, o que ocorre com o passar do tempo?, os problemas resolvem-se espontaneamente?, diminuem?, agravam-se?

---

4 Trabalho de investigação em curso. Subsidiado pelo Instituto da Mulher.

Ler o diário de Laura:

DIÁRIO DE LAURA

Este ano fiquei contente por uma amiga minha ter contado comigo para compor a música para uma peça de teatro que ela escreveu. A verdade é que me agradou que minha amiga confiasse em mim.

A música me ajuda... é uma terapia você se pôr diante do piano para ver o que sai, tocar, aprimorar e que saia a energia... depois você descansa e se sente feliz. Custa mais recordar as coisas boas que as más, mas... acho que os amigos, a família, o trabalho, os estudos... tudo em geral está muito bem.

Encontrar um equilíbrio e mantê-lo e sentir-se bem por dentro... ainda que pareça propaganda de iogurte, é a mais difícil e a mais alegre recompensa.

Enfim, as coisas de cada dia podem ser boas ou más, depende de como se olha para elas. Se faz um esforço e as vê como especiais, lhe trazem alegria e você fica feliz.

Agora estou preocupada. Faz alguns meses que saio com um garoto, Juan, que é um pouco mais velho que eu. Somos amigos e gosto muito dele, é inteligente, interessante, simpático, bonito, embora também seja um pouco inseguro. Disse-lhe que fosse a um psicólogo e não levou a mal, mas acho que pensa que o considero fraco etc., e é assim... às vezes o considero um pouco fraco, mas combina comigo e é um amigo de verdade.

Muitas vezes tento ajudá-lo, mas não é fácil. Gostaria de explicar meu problema a alguém, mas não sei se devo e me calo.

O problema é que muitas vezes, quando eu digo uma coisa, Juan diz o contrário. Por exemplo, se proponho ir ao cinema ele fala em sair para beber algo e conversar; mas se sou eu quem quer ir beber algo e conversar, Juan pergunta por que não vamos ao cinema.

No começo não me dei conta disto. Estava apaixonada. Agora sei que é assim, que quase sempre me contraria.

Um dia lhe perguntei por que não íamos à casa de algumas amigas que tinham alugado um filme do tipo que gostávamos e passávamos a tarde ali. Juan disse que lhe agradava mais passear e ir beber alguma coisa. Eu me incomodei, já estava farta: sempre que eu propunha fazer algo ele não estava de acordo. Caminhávamos de mãos dadas e notei que Juan me empurrava para a árvore. Tropecei e caí.

Enquanto me ajudava a levantar, só lhe ocorreu me dizer que sempre andava distraída, que era uma desastrada e que sempre caía. Sua atitude doeu muito em mim, ainda mais porque eu sabia que ele tinha me levado a cair.

Fiquei tão triste que Juan não sabia o que fazer para me alegrar. A verdade é que, quando vi todo o esforço que fazia e o cuidado que tinha comigo, esqueci minha dor. Finalmente nós dois fomos ao cinema e ficamos muito bem juntos.

Desde então via Juan tranqüilo e mais seguro que antes. Ele me disse que sou muito importante para ele.

Eu quase tinha esquecido o assunto da árvore e estava muito confiante. Por isto sofri com o que aconteceu hoje. Tudo começou quando lhe disse que neste fim de semana não poderei sair com ele porque tenho de preparar uma avaliação. Ainda ouço seus gritos, seus insultos e sinto "claramente" o forte empurrão que me deu.

Desta vez não caí, mas foi pior. Não sei o que fazer; não entendo como se atreve a me dizer coisas tão desagradáveis, não sei por que me empurra. A verdade é que não sei o que fazer. Gosto de Juan, gosto de música e curto com minhas amigas. Mas às vezes Juan me preocupa. Pergunto-me se isto é algo que acontecerá sempre entre nós.

Terminada a leitura, a classe será dividida em grupos, que receberão uma cópia do texto sobre o conflito. Eles deverão analisar as causas e as conseqüências dos fatos, comentar como os fatos mudam ao longo do conflito, analisar os pensamentos, sentimentos e desejos de Juan e de Laura e buscar uma solução que, de modo algum, suponha que Laura continue sofrendo as agressões de Juan.

A exposição em conjunto dos trabalhos dos grupos é o momento adequado para avaliar positivamente o desejo de ajudar, diferenciando-o da atitude da inevitável responsabilidade que cada membro do casal tem de tratar o outro de forma respeitosa.

Será dada especial importância ao fato de que, por Laura não conseguir fazer com que Juan mude de atitude, uma parte significativa dos(das) alunos(as) (em especial as garotas) costuma considerar que Laura é culpada.

É importante que os(as) alunos(as), ao falar da culpabilidade de Laura, sejam auxiliados a perceber que Juan e Laura, assim como todas as pessoas da classe, têm desejos, gostos, preferências, necessidades; que não é justo que Laura deva sempre renunciar a seus desejos para submeter-se aos de Juan; que tem direito de defender sua maneira de ser e que, portanto, não é culpada por Juan ir reafirmando-se cada vez mais em uma atitude dominante e agressiva.

Esta injusta atribuição de culpa a Laura permite que o(a) professor(a) comente que cada pessoa é responsável por seus atos; que ninguém pode nem deve carregar a responsabilidade pelo casal e/ou sentimento de culpa.

Assim como em outras atividades, nesta exposição em conjunto as soluções propostas serão comentadas, analisadas, avaliadas e ordenadas hierarquicamente, considerando se são dirigidas às raízes do problema e, portanto, viabilizam a não-repetição dos fatos ou se são soluções momentâneas.

Infelizmente, na adolescência eles e elas já têm, direta e indiretamente, experiências de maus-tratos que não costumam comentar com ninguém. Deve-se insistir em que os maus-tratos, em qualquer de suas manifestações, são sempre inaceitáveis e, portanto, devem ser imediatamente erradicados.

Convém aproveitar esta exposição em conjunto para dizer-lhes que, se desejarem, podem falar de alguma amiga ou algum amigo que se encontra em uma situação similar à de Laura; caso não queiram falar do tema, que não digam nada, mas que tentem ajudá-lo(a).

Avaliação

Atividade nº 11: Avaliação

Nesta segunda série de atividades foram trabalhados aspectos relacionados a diferentes sentimentos, tanto agradáveis (satisfação pessoal, auto-estima, confiança, solidariedade, amor etc.) como desagradáveis (insegurança pessoal, angústia mediante renúncia, medo, violência, marginalização, sentimento de culpa etc.), e foram analisados os pensamentos que eles desencadeiam e as ações deles derivadas. Ao chegar ao final desta série de atividades, convém fazer uma síntese, em forma de recopilação, dos principais aspectos trabalhados e avaliar a aprendizagem obtida pelos(as) estudantes.

Tarefa nº 1

Para alcançar o primeiro destes objetivos, o professor ou a professora pedirá ao(às) alunos(as) que recorde e enumere coletivamente os temas trabalhados durante esta segunda série de atividades. Em seguida, a lista será completada com aqueles aspectos que os(as) alunos(as) não tenham mencionado.

A função desta tarefa é recordar os principais aspectos trabalhados e, assim, facilitar o exercício de avaliação seguinte, que será dado sem mencionar em nenhum momento que se trata de uma avaliação.

Tarefa nº 2

Deve-se pedir que, de todas as situações recordadas, selecionem a que preferem, explicando que experiências lhes proporcionou e o que aprenderam a partir dela.

Depois se pedirá que descrevam por escrito um conflito ou uma situação problemática real, que tenham vivido de perto ou que conheçam, e que esteja relacionada com os sentimentos, os pensamentos e as ações expressados na situação que escolheram. Uma vez explicado o conflito, devem analisar e explicar o mais claramente possível:

a) As causas do conflito.

b) Os sentimentos e pensamentos das pessoas que o protagonizaram.

c) O comportamento de cada pessoa e o que fizeram para resolvê-lo.

d) Seu julgamento sobre a forma como o resolveram. No caso de considerarem que a solução foi adequada, devem explicar por que consideram isso. Caso contrário, pede-se que sugiram uma solução mais adequada e eficaz.

A avaliação desta tarefa deverá considerar se os(as) alunos(as) reuniram, no conflito real que descrevem, os aspectos trabalhados ao longo da aprendizagem, ou seja, se no momento de avaliar as soluções consideram as causas do conflito e sugerem soluções que tendem a atenuá-las ou a eliminá-las, se estas soluções se baseiam no uso da inteligência e da imaginação e não da violência, se não se guiam por esquemas sexistas no momento de julgar os personagens e de oferecer soluções, se consideram os sentimentos como elementos importantes para analisar e buscar soluções para o conflito etc.

Tarefa nº 3

Finalmente deve-se pedir aos(às) estudantes que façam uma avaliação livre do trabalho realizado ao longo desta série de atividades, destacando os aspectos que considerem mais importantes. Esta avaliação pode ser feita por escrito ou coletivamente, deixando que expressem em voz alta suas impressões e recolhendo suas observações.

Esta tarefa proporcionará uma visão geral do grau de interesse que as diversas atividades realizadas despertaram nos(nas) alunos(as), o que ajudará, junto com a atividade anterior, a compreender melhor o tipo de problemática que mais preocupa as pessoas que compõem a classe.

BIBLIOGRAFIA

ALTABLE VICARIO, R. (2000) *Educación sentimental y erótica para adolescentes*. Madri, Miño y Dávila.

_______. (1991) *Penélope o las trampas del amor*. Madri, Mare Nostrum.

ALVAREZ HERNANDEZ, J. (1998) *Solución de conflictos en el aula*. Madri, Escuela Española.

AMORIM ARANTES, V. (2000) Cognição, afetividade e moralidade, in: *Educação e Pesquisas*. Vol. 26-02, pp. 137-153.

_______. (2000) *Estados de ânimo e os modelos organizadores do pensamento: Um estudo exploratório sobre a resolução de conflitos morais*. Barcelona, Tese de doutorado, Facultad de Psicología, Universidad de Barcelona.

ARAÚJO, U. F. (1999) *Conto de escola: a vergonha como um regulador moral*. São Paulo, Moderna, Campinas, Editora da Universidade de Campinas.

_______. (2000) Escola, democracia e construção de personalidades morais, in: *Educação e Pesquisa*. Vol. 26-02, pp. 91-107.

ARAÚJO, U. F., AQUINO, J. G. (2001) *Os direitos humanos na sala de aula: a ética como tema transversal*. São Paulo, Moderna.

ARAÚJO, V. (2000). *Estados de ânimo e os modelos organizadores do pensamento*. Tese de doutorado, Facultad de Psicología, Universidad de Barcelona.

ASKEW, S., ROSS, C. (1991) *Los chicos no lloran*. Barcelona, Paidós.

BASTIDA, A. (1994) *Desaprender la guerra*. Barcelona, Icaria.

BASTIDA, A., CÁSCON, F., GRASA, R. (1997) *Hazañas bélicas*. Barcelona, Itermón-Octaedro.

BENHABIB, S. (1990) El otro generalizado y el otro concreto: la controversia Kohlberg-Gilligan. In: Benhabib, S., Cornella, D. Valencia, Edicions Alfons el Magnanim.

BRANDONI, F. (Comp.) (1999) *Mediacíon escolar. Propuestas, reflexiones y experiencias*. Barcelona, Paidós.

BRUCH BUSH, R. A. (1996) *La promesa de la mediación*. Barcelona, Granica.

BURGUET, M. (1999) *El educador como gestor de conflictos*. Bilbao, Desclée De Brouwer.

BUSQUETS, D., CAINZOS, M. FERNANDEZ, T., LEAL, A., MORENO MARIMON, M., SASTRE, G. (1993) *Los Temas Transversales*. Madri, Santillana.

CASCÓ, F., BERISTAIN, C. M. (1998) *La alternativa del juego I. Juegos y dinámica de educación para la paz*. Madri, Los libros de la catarata.

CEREZO, F., (Coord.) (1997) *Conductas agresivas en la edad escolar. Aproximación teórica y metodológica. Propuestas de intervención*. Madri, Pirámide.

COLECTIVO AMANI. (1994) *Educación intercultural: Análisis y resolución de conflictos*. Popular.

CONLAN, Roberta Comp. (1999) *Estados de ánimo*. Barcelona, Paidós.

CORNELIUS, H., FAIRE, S. (1995) *Tú ganas, yo gano*. Móstoles, Gaia.

DAMASIO, A. R. (1994) *El error de Descartes*. Barcelona, Crítica.

_______. (2000) *The Feeling of What Happens: Body and Emotion in the Making of Conciousness*. Nova York.

DEBARBIEUX, E. (1999) *La violence dans la classe*. Paris, ESF.

DE BONO, E. (1994) *Conflictos: una mejor manera de resolverlos*. Bilbao, Deusto.

_______. (1994) *Más allá de la competencia*. Barcelona, Paidós.

DIAZ AGUADO, M. J., MEDRANO, C. (1944) *Educación y razonamiento moral*. Bilbao, Mensajero.

FERNANDEZ, A. (1994) *Educando para la paz. Nuevas propuestas*. Universidad de Granada.

FERNANDEZ, I. (1998) *Prevención de la violencia y resolución de conflictos*. Narcea.

FISAS, V. (2000) *Adiós a las armas*. Barcelona, Icaria.

______. (1998) *Cultura de paz y gestión de conflictos*. Barcelona, Icaria/ Unesco.

______. (Ed.) (1998) *El sexo de la violencia*. Barcelona, Icaria.

FISCHER A. (Ed.) (2000) *Gender and Emotion. Social Psychological Perspectives*. Cambridge University Press.

FISCHER, R., BROWN, S. (1991) *¿Como reunirse creando una relación que lleve al sí?* Bilbao, Deusto.

FISCHER, R., URY, W. (1984) *Obtenga el sí. El arte de negociar sin ceder*. México, Cecsa.

FODOR, I. (1992) *Adolescent Assertiveness and Social Skills Training: A Clinical Handbook*. Nova York, Springer.

FOLGER, J. P., JONES, T. S. (Comp.) (1997) *Nuevas direcciones en mediación*. Barcelona, Paidós.

FRIJDA, N. H., MANSTEAD, A., BEM, S. (2000) *Emotions and Beliefs. How Feelings Influence Thoughts*. Maison des Sciences de l'Homme. Paris. Cambridge, University Press.

GARDNER, H. (1993) *Inteligencias múltiples*. Barcelona, Paidós.

GILLIGAN, C. (1982) *La moral y la teoría. Psicología del desarrollo femenino*. México, Fondo de Cultura.

GIRARD, K., KOCH, S. J. (1997) *Resolución de conflictos en las escuelas. Manual para educadores*. Barcelona, Granica.

GOLDBERG, S. B., SANDER, F. E. A., ROGERS, N. H. (Eds.) (1992) *Dispute Resolution: Negotiation, Mediation and Other Processes*. Boston, Little Brown.

GOLEMAN, D. (1995) *La inteligencia emocional*. Barcelona, Kairós.

GREENBERG, L. S. (2000) *Trabajar con las emociones en psicoterapia*. Barcelona, Paidós.

JENOFONTE. *Económica*, IV, 2.

JOHNSON, D. W., JOHNSON, R. T. (1999) *Cómo reducir la violencia en las escuelas*. Barcelona, Paidós.

JUDSON, E. (2000) *Aprendiendo a resolver conflictos*. Madri, Los Libros de la Catarata.

KLEIDLER, W. J. (1984) *Creative Conflict Resolution*. Nova Jersey, Good Year Books.

KLEIDLER, W. J. (1997) *Conflict Resolution in the Middle School*. Cambridge, MA. ESR.

KOHLBERG, L.; POWER, F. C. y HIGGINS, A. (1997) *La educación moral*. Barcelona, Gedisa.

KOLB, D. e outros. (1996) *Cuando hablar da resultados. Perfiles de mediadores*. Barcelona, Paidós.

LA TAILLE, Y. de. (2000) *Vergonha, a ferida moral*. São Paulo. Instituto de Psicologia da USP (Livre-Docência).

LEDOUX, J. (1999) *El cerebro emocional*. Ariel-Planeta.

MAQUIEIRA, V. (1990) *Violéncia y sociedad patriarcal*. Madri, Pablo Iglesias.

MAYOR ZARAGOZA, F. (1994) *La memoria del futuro*. Unesco.

_______. (1999) *La nueva página*. Unesco-Círculo de Leitores.

MIEDZIAN, M. (1995) *Chicos son, hombres serán. Cómo romper los lazos entre masculinidad y violencia*. Madri, horas y horas.

MILLER LIEBER, C. (1998) *Conflict Resolution in the High School*. Cambridge, MA, ESR.

MONTAGU, A. (1978) *La naturale de la agresividad humana*. Madri, Alianza.

MONTAGU, A. e outros. (1970) *Hombre y agresión*. Barcelona, Kairós.

MOORE, C. (1995) *El proceso de mediación*. Barcelona, Granica.

MORENO, M. (1986) *Cómo se enseña a ser niña*. Barcelona, Icaria.

MORENO, M. e outros. (1988) *Ciencia, aprendizaje y comunicación*. Barcelona, Laia.

_______. (1992) *Del silencio a la palabra*. Instituto de la Mujer.

_______. (1983) *La pedagogía operatoria*. Barcelona, Laia.

MORENO, M., SASTRE, G. (1980) *Aprendizaje y Desarrollo Intelectual*. Barcelona, Gedisa (4ª edição 1996).

MORENO, SASTRE, BOVET e LEAL. (1998) *Conocimiento y cambio. Los modelos organizadores en la construcción del conocimiento*. Barcelona, Paidós.

MORENO, SASTRE, BUSQUETS e LEAL. (1997) *Proyecto Gea*. Barcelona, Octaedro.

MORENO, SASTRE, LEAL e BUSQUETS. (1999) *Falemos de sentimentos*. São Paulo, Moderna.

MORENO, SASTRE, LEAL, BUSQUETS e De MIGUEL. (1994) *El conocimiento del medio. La transversalidad desde la coeducación*. Madri, Instituto de la Mujer. Ministerio de Educación y Ciencia.

OLIVEIRA M. (1998) *La educación sentimental*. Barcelona, Icaria.

ORTEGA RUIZ, R. (1998) *La convivencia escolar: qué es y como abordarla*. Consejería de Educación y ciencia, junta de Andalucía.

ORTONY, A., CLORE, G. L., COLLINS, A. (1996) *La estructura cognitiva de las emociones*. Madri, Siglo XXI..

PIAGET, J. (1970) *Comunicación presentada en la Sesión Plenaria de la American Psychoanalytic Association*.

_______. (1977) *El criterio moral en el niño*. Fontanella.

_______. (1948) *Ou va l'education*. Paris, Denoel Gonthier.

PORRO, B. (1999) *La resolución de conflictos en el aula*. Barcelona, Paidós.

PUIG ROVIRA, J. M. (1996) *La construcción de la personalidad moral*. Barcelona, Paidós.

ROJAS MARCOS, L. (1995) *Las semillas de la violencia*. Madri, Espasa Calpe.

ROMEVA, R. (2000) *Desarme y desarrollo. Claves para armar consciencias*. Barcelona, Intermón.

ROSS EPP, J., WATKINSON, A. M. (1999) *La violencia en el sistema educativo*. Madri, La Muralla.

ROZENBLUM de HOROWITZ (1998) *Mediación en la escuela. Resolución de conflictos en el ámbito educativo adolescente*. Buenos Aires, Aique.

SASTRE, G. (2000) La violencia contra las mujeres: continuidad y ruptura. In: *Las mujeres en el año 2000. Hechos y aspiraciones*. Debate nº 28. Madri, Ministerio de Asuntos Sociales.

SASTRE, G., MORENO, M. (1980) *Descubrimiento y construcción de conocimientos*. Barcelona, Gedisa (4ª edição 1999).

_______. (2000) Nuevas perspectivas sobre el razonamiento moral. In: *Educação e Pesquisa*. Vol. 26-02, 123-135. Universidade de São Paulo.

SASTRE, G.; MORENO, M., FERNANDEZ, T. (1994) El derecho a ser y la autorenuncia. Los modelos organizadores en la preadolescencia. In: *Educación y Sociedad* nº 27/28. Madri.

SASTRE, G., MORENO, M. PAVON T. (1998) Cultura de género y diversidad en el desarrollo moral. In: *Educar*, nº 22-23, 141-153. Servei de Publicacions UAB.

SASTRE, G., MORENO, M., TIMON, M. (1998) Educación y razonamiento moral. In: *Educar* nº 22-23, 155-170. Servei de Publicacions UAB.

SEGURA, C., MARQUINA, A. (1999) (coord.) *Hacia la no violencia. Una cuestión de educación*. Madri, Sanz y Torres.

SEMINARIO DE EDUCACIÓN PARA LA PAZ DE LA ASOCIACIÓN PRO DERECHOS HUMANOS. (1990) *Unidad didáctica: Armemos la paz*. APDH.

STAMBACK M. e outros. (1984) *Los bebés entre ellos*. Barcelona, Gedisa.

TURIEL, E. (1984) *El desarrollo del conocimiento social*. Madri, Debate.

_______. (1996) Equality and hierachy: conflict in values. In: E. S. Reed, E. Turiel y T. Brown: *Values and Knowledge*. Mahwah, Nova Jersey, Lauwrence Erlbaum.

URRUZOLA, M. J. (1992) *Guía para chicas*. Bilbao, Maite Canal.

VINYAMATA, E. (1999) *Manual de prevención y resolución de conflictos*. Barcelona, Ariel.